BESTSELLER

Romain Puértolas, de origen franco-español, nació en 1975 en Montpellier. Transportado por los caprichos del destino a España e Inglaterra, ha sido DJ, profesor de idiomas, traductor-intérprete, auxiliar y coordinador de vuelo en el aeropuerto de El Prat de Barcelona, empleado de Aena en Madrid y limpiador de tragaperras en Brighton. De regreso a Francia, trabajó durante tres años como inspector de policía en un servicio especializado en el desmantelamiento de redes de inmigración ilegal. Su primera novela, *El increíble viaje del faquir que se quedó atrapado en un armario de Ikea*, se publicó en agosto de 2013 y la «faquirmanía» no tardó en propagarse: ya se ha traducido a más de treinta idiomas, ha sido ensalzada por la crítica, ha recibido varios premios literarios y está en proceso de adaptación cinematográfica. Sin lugar a dudas, Romain Puértolas, un adicto declarado a la escritura compulsiva sobre pósits, ha entrado en el mundo literario por la puerta grande.

Biblioteca

ROMAIN PUÉRTOLAS

El increíble viaje del faquir que se quedó atrapado en un armario de Ikea

Traducción de
Romain Puértolas y Patricia Sierra Gutiérrez

DEBOLS!LLO

El papel utilizado para la impresión de este libro ha sido fabricado a partir de madera procedente de bosques y plantaciones gestionadas con los más altos estándares ambientales, garantizando una explotación de los recursos sostenible con el medio ambiente y beneficiosa para las personas. Por este motivo, Greenpeace acredita que este libro cumple los requisitos ambientales y sociales necesarios para ser considerado un libro «amigo de los bosques». El proyecto «Libros amigos de los bosques» promueve la conservación y el uso sostenible de los bosques, en especial de los Bosques Primarios, los últimos bosques vírgenes del planeta.

Papel certificado por el Forest Stewardship Council®

Título original: *L'extraordinaire voyage du fakir qui était resté coincé dans une armoire Ikea*

Primera edición en Debolsillo: marzo, 2015
Segunda reimpresión: abril, 2015

© 2013, le dilettante
© 2015, le dilettante, por el avance de *La niña que se tragó una nube tan grande como la torre Eiffel*
© 2014, Penguin Random House Grupo Editorial, S. A. U.
Travessera de Gràcia, 47-49. 08021 Barcelona
© 2014, Romain Puértolas y Patricia Sierra Gutiérrez, por la traducción
© 2015, Romain Puértolas y Patricia Sierra Gutiérrez, por la traducción de
La niña que se tragó una nube tan grande como la torre Eiffel

Printed in Spain – Impreso en España

ISBN: 978-84-9062-413-5
Depósito legal: B-403-2015

Compuesto en Fotocomposición 2000
Impreso en Novoprint
Sant Andreu de la Barca (Barcelona)

P 624135

Penguin
Random House
Grupo Editorial

Para Léo y Eva, mis más bonitas obras

Para Patricia, mi más bello viaje

Hijos de sultán, hijos de faquir,
todos los niños tienen un imperio.

JACQUES BREL

Un corazón es un poco como un
gran armario.

DHJAMAL MEKHAN DOOYEGHAS

La primera palabra que el indio Dhjamal Mekhan Dooyeghas pronunció cuando llegó a Francia fue una palabra sueca. ¡El colmo!

«Ikea.»

Eso fue lo que susurró.

Y en cuanto lo dijo, cerró la puerta del viejo Mercedes rojo y esperó con las manos sobre sus rodillas como un niño bueno.

El taxista, que no estaba seguro de haber oído bien, se volvió hacia su cliente, lo que hizo que las bolitas de madera de su cubreasiento crujieran.

Descubrió en el asiento trasero de su vehículo a un hombre de mediana edad, alto y flaco como un árbol seco, de cara morena y atravesada por un bigote gigantesco. Cicatrices de un antiguo acné virulento cubrían sus mejillas huesudas. Llevaba tantos aros en las orejas y en los labios que parecía que hubiera querido cerrarlos con cremallera. ¡Qué buena idea!, pensó Gustave Palourde, que creía haber encontrado por fin el remedio para hacer callar a la parlanchina de su mujer.

El traje de seda gris brillante del pasajero, su corbata roja sujeta con un imperdible y su camisa blanca, arrugados con armonía, eran testimonio de largas horas de avión. Pero, sorprendentemente, no llevaba equipaje.

O es hindú o ha sufrido un terrible golpe en la cabeza, pensó el conductor al ver el gran turbante blanco que llevaba su cliente. Pero su cara morena y atravesada por un bigote gigantesco apuntaba más a que era hindú.

—¿Ikea?

—Ikea —repitió el indio alargando la última vocal.

—¿Cuál? Eh… *What Ikea?* —tartamudeó Gustave, que se sentía tan suelto en inglés como un perro sobre una pista de hielo.

El pasajero se encogió de hombros como para expresar que no le importaba. «*Yustikea* —repitió—, *dasentmaterdiuandatbetersuitsyuyuardeparisian.*» Aquello fue lo que entendió el conductor, una secuencia confusa de sonidos incomprensibles. En treinta años trabajando para Taxis Gitanos, era la primera vez que un cliente recién llegado a la terminal 2C del aeropuerto Charles-de-Gaulle de París le pedía que le llevase a una tienda de muebles. Y no creía que Ikea hubiera abierto una cadena de hoteles.

A Gustave le habían solicitado destinos raros, pero este se llevaba la palma. Si este tipo venía realmente de la India, debía de haber pagado una pequeña fortuna y pasado ocho horas en un avión solo para comprar una librería Billy o una butaca Poäng. ¡Increíble! Tendría que apuntar este encuentro en su libro de oro, entre Demis Roussos y Salman Rushdie, que un día le habían hecho el insigne honor de reposar sus augustos traseros sobre los asientos de leopardo de su taxi y, sobre todo, no debía olvidar contar la anécdota a su mujer esta noche durante la cena. Como normalmente no tenía mucho que decir, era su esposa, cuya boca pulposa aún no estaba equipada con una maravillosa cremallera india, la que monopolizaba la conversación en la mesa mientras su hija enviaba mensajes de texto repletos de faltas de ortografía a jóvenes de su edad que ni siquiera sabían leer.

—¡Ok!

El taxista gitano, que había pasado los tres últimos fines de semana recorriendo en compañía de las susodichas mujeres los pasillos azules y amarillos de la tienda sueca para amueblar la nueva caravana familiar, bien sabía que el Ikea más cercano era el de Roissy París Norte, a tan solo 8,25 euros de allí. Se decantó pues por el de París Sur Thiais, situado al otro extremo de la capital, a tres cuartos de hora de donde se encontraban en aquel momento. Después de todo, el turista quería un Ikea. No había especificado cuál. Además, con su bonito traje de seda y su corbata, debía de tratarse de un rico empresario indio. Tampoco iba a morirse por unas decenas de euros de más, ¿no?

Satisfecho, Gustave calculó rápidamente cuánto ganaría con la carrera y se frotó las manos. Después, le dio al botón del taxímetro y arrancó.

En definitiva, el día comenzaba bastante bien.

Faquir de profesión, Dhjamal Mekhan Dooyeghas (pronunciado «Llámame cuando llegues») había decidido viajar por primera vez a Europa de incógnito. Para la ocasión había cambiado su uniforme, que consistía en un taparrabos en forma de enorme pañal, por un traje de seda brillante y una corbata alquilados a precio de ganga a Yogi (pronunciado «Jogging»), un viejo del pueblo que en su juventud había trabajado como representante de una famosa marca de champú y que aún conservaba unos bonitos rizos, ahora grises.

Embutido en su disfraz, que vestiría durante los dos días que duraría su escapada, el indio anhelaba en secreto que lo confundieran con un riquísimo empresario indio, hasta el punto de que prefería pasar de la comodidad de un chándal y unas sandalias para un viaje de tres horas en autobús y ocho horas y quince minutos en avión. Fingir ser lo que no era, después de todo, formaba parte de su profesión. Era faquir. Por razones religiosas había conservado su turbante, debajo del cual seguía creciendo su pelo, que hoy día debía de alcanzar los cuarenta centímetros y hospedar una población de treinta mil almas, microbios y piojos todos juntos.

Al subirse al taxi ese día, Dhjamal Mekhan Dooyeghas (pronunciado «Ya me quedan dos leguas») había notado enseguida que su atuendo había causado en el francés el efecto deseado, y eso a pesar de su nudo de corbata, que ni él ni su primo habían sabido hacer, ni siquiera después de las explicaciones claras pero temblorosas de un Yogi afectado de Parkinson. Al final, habían acabado por sujetarla con un imperdible, lo que parecía pasar desapercibido entre tanta elegancia.

Como un vistazo por el retrovisor no era suficiente para contemplar tanta belleza, el conductor se había dado la vuelta para admirarlo mejor, lo que hizo que sus cervicales crujieran como si estuviera ejecutando un número de contorsionismo.

—¿Ikea?

—Ikeaaa.

—¿Cuál? Eh… *What Ikea?* —farfulló el chófer, aparentemente tan suelto en inglés como una vaca (sagrada) sobre una pista de hielo.

—*Just Ikea. Doesn't matter. The one that better suits you. You're the Parisian.*

El taxista se frotó las manos sonriendo y arrancó.

Ha mordido el anzuelo, pensó Dhjamal Mekhan Dooyeghas (pronunciado «Qué mal, me que'an dos yeguas»), satisfecho. Finalmente, su nuevo look cumplía con su misión de maravilla. Con un poco de suerte, y si no abría mucho la boca, hasta lo tomarían por un autóctono.

Dhjamal Mekhan Dooyeghas era famoso en todo el Rajastán por tragarse espadas retráctiles, comer cristales de azúcar bajo en calorías, clavarse agujas falsas en los brazos y por una ristra de trucos de los que él era, con sus primos, el único en conocer el secreto y a los que calificaba de «poderes mágicos» para embaucar a su público.

De modo que, cuando tuvo que pagar el taxi, que alcanzaba la modesta suma de 98,45 euros, nuestro faquir entregó el único billete del que disponía para todo el viaje, un billete falso de 100 euros impreso por un solo lado, a la vez que hacía un gesto indolente al conductor para decirle que podía quedarse con el cambio.

En el momento en que este se lo metía en la cartera, Dhjamal desvió su atención señalando con su dedo índice las gigantescas letras amarillas, I-K-E-A, que se erigían con orgullo sobre el edificio azul. El gitano levantó la mirada al cielo el tiempo suficiente como para que su cliente tirara con un golpe seco del elástico invisible que unía su dedo meñique al billete verde. En una décima de segundo el dinero había vuelto a las manos de su dueño original.

—¡Ah, tenga el número de mi agencia! —exclamó el chófer creyendo el billete seguro en su cartera—. Por si le hace falta un taxi a la vuelta. También disponemos de furgonetas con chófer, si va cargado. Incluso desmontados, los muebles ocupan mucho espacio, créame.

Nunca supo si el indio comprendió algo de lo que acababa de decirle. Rebuscó en la guantera y sacó una tarjeta de papel glasé en la que se podía ver una bailaora de flamenco abanicándose con la famosa señal de plástico blanco que reposa sobre el techo de los taxis de París. Se la dio.

—*Merci* —dijo el extranjero en francés.

En cuanto el Mercedes rojo de Taxis Gitanos hubo desaparecido sin que el ilusionista, muy acostumbrado a hacer desaparecer elefantes de la India de pequeñas orejas, tuviera algo que ver, Dhjamal guardó la tarjeta en su bolsillo y examinó la inmensa nave comercial que se extendía delante de él.

En 2009, Ikea había renunciado a la idea de abrir sus primeras tiendas en la India. La ley local imponía a los líderes suecos compartir la gerencia de sus establecimientos con directores de nacionalidad india, que encima debían ser los accionistas mayoritarios. Eso sacó al gigante nórdico de sus casillas. No compartiría el botín con nadie, y aún menos con encantadores de serpientes bigotudos adeptos a las comedias musicales cursis.

Paralelamente, el líder mundial del *prêt-à-meubler* había desarrollado una campaña de cooperación con Unicef con el fin de luchar contra el trabajo y la esclavitud infantiles. El proyecto, que implicaba a quinientos pueblos del norte de la India, había permitido la construcción de varios centros de salud, de nutrición y de educación en toda la región. Fue en una de estas escuelas donde Dhjamal aterrizó tras haber sido despedido en su primera semana de trabajo en la Corte del marajá Shuwos Khan Shaka Lathe (pronunciado «Churros con chocolate»), donde acababa de ser contratado como faquir-bufón. Había tenido la mala idea de robar un trozo de pan con sésamo, mantequilla sin colesterol y dos racimos de uva bio. En definitiva, había tenido la desafortunada idea de pasar hambre.

Para castigarle, le habían afeitado el bigote, lo que en sí ya era una pena severa (aunque pareciera más joven). Luego, le habían dado a escoger entre hacer una gira por las escuelas para sensibilizar a los niños sobre el robo y la delincuencia, o dejar que le cortaran la mano derecha. Después de todo, un faquir no temía ni al dolor ni a la muerte…

Para gran sorpresa de su público, al que había acostumbrado a asistir a actos de mutilación de todo tipo (pinchos de brochetas de carne en los brazos, tenedores en las mejillas, espadas en la barriga), Dhjamal había rechazado la oferta de amputación y se había decantado por la primera opción.

—Disculpe, señor, ¿tiene hora?

El indio se sobresaltó. Un tipo de unos cuarenta años vestido con un chándal y unas sandalias acababa de estacionar delante de él, no sin dificultad, un carro de la compra cargado con una buena decena de paquetes que solo un as del Tetris, o un psicópata, habría podido ordenar de semejante manera.

Para Dhjamal, la pregunta había sonado como «¿*Diskulpeseñortieneora?*». O sea, nada comprensible.

El hombre, viendo que su interlocutor era extranjero, se dio varios golpecitos en la muñeca izquierda con el dedo índice derecho como para señalar un reloj imaginario. El faquir lo entendió, levantó la mirada al cielo y, acostumbrado a leer el sol indio, dio la hora al francés con una diferencia de tres horas y media. El otro, que comprendía mejor el inglés de lo que lo hablaba, se dio cuenta de que llegaba tarde a la escuela para recoger a los niños a la hora de comer y corrió hacia su coche.

Observando a la gente que entraba y salía de la tienda, el indio reparó en que pocos clientes, en realidad ninguno, vestían como él, con traje de seda brillante. Y aún menos con turbante. ¡A la mierda su efecto camaleón! Esperó que eso no hiciera comprometer su misión. Un chándal y unas sandalias habrían sido más apropiados para la ocasión. En cuanto volviera, se lo comentaría a su primo Pawan Bhyen (pronunciado «Pagan bien»). Después de todo, era él quien había insistido en que se vistiera de aquel modo.

Dhjamal miró un instante las puertas de cristal que se abrían y se cerraban delante de él. Todo su conocimiento del mundo moderno lo había adquirido viendo las películas de Hollywood y Bollywood en casa de su madre adoptiva, Rehmalasha (pronunciado «Remolacha»). Era sorprendente ver cómo esos artilugios, que consideraba joyas de la tecnología moderna, eran de una banalidad extrema para los europeos, que casi no les prestaban atención. Si hubiera ese sistema de puertas en Tharta'l Yagurh (pronunciado «Tarta al yogur»), las habría contemplado una y otra vez con la misma intensa emoción. Los franceses no eran más que unos niños mimados.

Un día, cuando solo tenía diez años, mucho antes de

que la primera señal de progreso llegara a su pueblo, un aventurero inglés le dijo enseñándole un mechero: «Toda tecnología suficientemente avanzada es indistinguible de la magia». En aquel momento, el niño no lo entendió. «Esto significa simplemente que las cosas que son normales para mí pueden parecer magia para ti. Todo depende del nivel de tecnología de la sociedad en la que te muevas.» Pequeñas chispas saltaron entonces sobre el pulgar del extranjero, dando a luz una bonita llama azul, caliente y radiante. Antes de marcharse, el hombre le regaló, a cambio de un extraño favor que comentaremos más adelante, aquel objeto mágico aún desconocido en ese pueblecito perdido al límite del desierto Tártaro, y con el que Dhjamal había elaborado sus primeros trucos y potenciado su deseo de convertirse en un futuro en faquir.

Había experimentado el mismo sentimiento extraordinario en el avión la noche anterior. El vuelo había sido una aventura increíble para él, que no había despegado nunca de un suelo más alto de lo que el mecanismo que, hábilmente disimulado bajo su trasero, le permitía levitar durante sus numerosas apariciones públicas. O sea, veinte centímetros, y eso cuando estaba bien engrasado. Se había pasado la mayor parte de la noche mirando por la ventanilla, boquiabierto.

Cuando por fin dejó de quedarse embelesado por las puertas correderas, el indio se decidió a entrar. Al ver la sala de juegos para los niños situada en la entrada de la tienda pensó que era paradójico que Ikea, cuya principal actividad era vender muebles, no hubiera abierto más que escuelas y orfanatos en la India.

Esto le recordó que había emprendido un viaje de más

de diez horas, autobús y avión incluidos, para llegar hasta allí y que no le quedaba mucho tiempo para cumplir su misión. El vuelo de regreso salía al día siguiente. Aligeró el paso y subió las inmensas escaleras cubiertas de linóleo azul que llevaban a la primera planta.

P ara alguien procedente de un país occidental de tendencia democrática, el señor Ikea había desarrollado un concepto comercial como mínimo insólito: la visita forzada de su tienda.

Así, si el cliente deseaba acceder a la sección de compras situada en la planta baja, estaba obligado a subir a la primera planta, seguir un gigantesco e interminable pasillo que serpenteaba entre dormitorios, salones y cocinas piloto más bonitos los unos que los otros, pasar delante de un restaurante apetitoso y comer unas cuantas albóndigas o *wraps* de salmón antes de bajar a la zona de venta para, por fin, poder hacer sus compras. En resumidas cuentas, una persona que fuera buscando tres tornillos y dos tuercas salía cuatro horas más tarde con una cocina equipada y una buena indigestión.

Los suecos, que eran precavidos, habían estimado conveniente pintar una línea amarilla en el suelo para indicar el camino, por si acaso a algún visitante se le ocurría la idea de salirse del itinerario trazado. Así que durante todo el tiempo que estuvo en la primera planta, Dhjamal no se separó de esa línea. Quizá el rey del mueble de pino había colocado francotiradores sobre los armarios para impedir toda tentativa de fuga abatiendo en el acto a los clientes con repentinos deseos de libertad.

Ante aquella bella exposición, nuestro rajastaní, que hasta ahora solo había conocido la austeridad de sus humildes moradas indias, sencillamente deseaba quedarse a vivir allí, sentarse a la mesa Ingatorp y que una camarera sueca vestida con un sari amarillo y azul le sirviera un buen pollo tandori. Luego, deslizarse entre las sábanas Smörboll sobre un cómodo colchón Sultan Fåvang para echar una cabezadita, o incluso tumbarse en la bañera y abrir el grifo de agua caliente para descansar un poco de su viaje agotador.

Pero, como en sus trucos de magia, todo era falso. El libro que acababa de coger al azar de la librería Billy solo era una vulgar caja de cartón adornada con una portada. El televisor del salón tenía tantos componentes electrónicos como una pecera, y del grifo de la bañera nunca caería una sola gota de agua caliente (ni siquiera fría).

No obstante, no era mala idea eso de quedarse a pasar la noche allí. Después de todo, no había reservado hotel por falta de dinero, y su vuelo salía al día siguiente a la una de la tarde. Además, solo contaba con su famoso billete falso de 100 euros, que guardaba para comprar la cama, y el truco del elástico invisible no funcionaría indefinidamente.

Aliviado por haber encontrado un sitio donde dormir, Dhjamal podía ahora concentrarse en su misión.

Dhjamal Mekhan Dooyeghas nunca había visto tantas sillas, pinzas para espaguetis y lámparas en toda su vida. Allí, al alcance de su mano, una profusión de objetos de todo tipo se apilaban delante de sus ojos asombrados. La mayoría no sabía para qué servían, pero eso no le importaba demasiado. Era la cantidad lo que le impresionaba. Una verdadera cueva de Alí Babá. Había cosas por todos lados. Si su primo hubiera estado allí con él, Dhjamal le hubiera dicho: «¡Mira eso! ¡Y esto otro! ¡Y eso de allí!», saltando de un expositor a otro como un niño que lo toca todo. Pero estaba solo, así que «¡Mira eso! ¡Y esto otro! ¡Y eso de allí!» únicamente se lo podía decir a sí mismo y no podía saltar de un expositor a otro como un niño que lo toca todo sin que lo tomaran por un loco. En su pueblo, a los locos se les pegaba con grandes palos de madera, y no tenía ganas de saber si en Francia correría mejor suerte.

Esas ensaladeras y esas lámparas le recordaban, de alguna manera, que venía de un mundo completamente diferente. Y pensar que, si no hubiera ido hasta allí, ¡quizá nunca hubiera sabido que existían sitios como ese! Tendría que contarle todo esto a su primo con pelos y señales. ¡Ojalá estuviera allí con él! No se disfrutaba tanto de las cosas y de los descubrimientos cuando se estaba solo. Y a menudo, la nostalgia de los suyos volvía pobre e insípido el más maravilloso de los paisajes.

Sumido en estos pensamientos, el indio llegó pronto a la sección de dormitorios. Delante de él se extendía una buena decena de camas, todas engalanadas con colchas de mil colores, de las que colgaban etiquetas con nombres improbables e impronunciables. Mysa Strå, Mysa Ljung, Mysa Rosenglim (¿se divertían creando palabras con letras escogidas al azar?). Almohadas blandas, tiradas encima de manera ordenada o, más bien, dispuestas de manera falsamente desordenada, invitaban al sueño.

Una pareja se acostó púdicamente sobre una Birkeland, imaginándose ya las deliciosas noches que iban a pasar en ella. Quizá hasta harían un niño. Un cartel escrito en francés y en inglés indicaba, efectivamente, que uno de cada diez bebés había sido concebido en una cama Ikea. Seguramente se habían olvidado de la India en aquella estadística.

Ese cuadro idílico se rompió en mil pedazos cuando dos niños se tiraron como salvajes sobre una Aspelund y comenzaron una encarnecida guerra de almohadas. Perturbada, la pareja, acostada a dos camas de allí, se levantó y huyó hacia la sección de cuartos de baño, dejando para más tarde todo proyecto de procreación.

En ese medio hostil, Dhjamal tampoco tardó en deslizarse entre las mesillas de noche. No porque no le gustaran los niños, al contrario, sino porque, a decir verdad, no estaba interesado en ninguno de los modelos de camas expuestos. La que buscaba no parecía estar allí.

Identificó a tres empleados vestidos con los colores de la tienda, los de la bandera sueca, amarillo y azul, como el sari de la bella sueca que servía pollo tandori en sus sueños. Pero parecían ocupados atendiendo a otros clientes. Se acercó a uno de ellos y esperó su turno.

El vendedor al que había echado el ojo era un hombre gordito con gafas de pasta de color verde y un diamante en cada oreja. Era el tipo de individuo al que se identificaría en menos de un segundo en el juego de ¿Quién es quién? Se afanaba sobre su ordenador y, de vez en cuando, levantaba la cabeza hacia las dos personas que tenía delante antes de sumergirse de nuevo en la pantalla. Al cabo de unos minutos, arrancó una hoja de la impresora y se la dio a la pareja, que, satisfecha, se alejó a grandes pasos, con prisa por contar a sus amigos que Elton John trabajaba ahora en Ikea y les acababa de vender un zapatero.

Después de asegurarse de que el vendedor hablaba inglés, Dhjamal le preguntó si tenían en exposición el ultimísimo modelo de la cama de clavos Misklavospikån. Para ilustrar sus palabras, desplegó el trozo de papel que acababa de sacar del bolsillo de su traje y se lo enseñó al empleado.

Se trataba de una foto en color de la cama para faquires en cuestión, de auténtico pino sueco, tres colores, con altura de clavos (inoxidables) ajustable. La página había sido arrancada del catálogo de Ikea de junio de 2012, con una tirada mundial de 198 millones de ejemplares, lo que suponía el doble de tirada que la Biblia.

Estaba disponible en varias medidas: doscientos clavos (muy cara y particularmente peligrosa), cinco mil clavos (accesible y confortable) y quince mil clavos (barata y, paradójicamente, muy cómoda). Encima de la cama, el eslogan ¡PARA NOCHES PICANTES AL PRECIO DE 99,99 EUROS (PARA EL MODELO DE QUINCE MIL CLAVOS)! estaba escrito en grandes letras amarillas.

—Ya no nos queda este modelo en la tienda —explicó el Elton John del mueble en un inglés fluido—. Está agotado.

Al darse cuenta de que la cara de su interlocutor se desencajaba, se apresuró a añadir:

—Pero siempre puede encargarla.

—¿Para cuándo la tendría? —preguntó el indio, preocupado por haber hecho el viaje en vano.

—Podría tenerla para mañana.

—¿Mañana por la mañana?

—Mañana por la mañana.

—En ese caso, trato hecho.

Contento por haber satisfecho a su cliente, el empleado lanzó sus dedos sobre el teclado del ordenador.

—¿Su apellido?

—Mister Dooyeghas (pronunciado «Doy er gas»). Dhjamal, tal como suena.

—¡Me ca…! —exclamó el dependiente ante la dificultad.

Más por flojera que por comodidad, puso una X en la casilla mientras el indio se preguntaba cómo el europeo conocía su segundo nombre, Mekhan.

—Así que una cama de clavos Misklavospikǻn especial faquir de auténtico pino sueco, con altura de clavos (inoxidables) ajustable. ¿En qué color?

—¿Cuáles hay disponibles?

—Rojo puma, azul tortuga o verde delfín.

—No acabo de entender la relación entre los colores y

los animales —confesó Dhjamal, que no veía bien la relación entre los colores y los animales mencionados.

—No depende de mí. Es cosa de marketing.

—Bueno, entonces rojo puma.

El vendedor se limitó a teclear frenéticamente sobre su máquina.

—Ya está, puede venir a buscarla mañana a partir de las diez. ¿Algo más?

—Sí, solo una preguntita, una curiosidad. ¿Cómo es que el modelo de quince mil clavos es tres veces más barato que el de doscientos, que, además, es más peligroso?

El hombre lo examinó por encima de la montura de sus gafas como si no le entendiera bien.

—Tengo la impresión de que no comprende mi pregunta —dijo el faquir—. ¿Qué idiota compraría una cama mucho más cara, mucho menos cómoda y mucho más peligrosa?

—Cuando se pase una semana clavando los quince mil puñeteros clavos en los pequeños agujeros dibujados en la tabla, no se lo preguntará, señor, y lamentará no haber cogido el modelo, seguramente más caro, menos cómodo y más peligroso, de doscientos clavos. ¡Créame!

Dhjamal asintió y sacó el billete de 100 euros de su cartera asegurándose de enseñar la parte impresa. Había retirado el hilo invisible puesto que, esta vez, se desharía del trozo de papel. La misión se estaba acabando. ¡Ya!

—No se paga aquí, señor. Es en caja, abajo. Pagará mañana. Serán 115,89 euros.

Dhjamal se hubiera caído de culo si no se hubiera agarrado en ese momento a la hoja de papel que le ofrecía el hombre sonriendo.

—¿115,89 euros? —repitió, ofuscado.

—99,99 euros era el precio promocional hasta la semana pasada. Mire, está escrito aquí.

Diciendo esto, el vendedor señaló con su dedo rechoncho una nota no más grande que la pata de una hormiga en la parte inferior de la página del catálogo.

—Ah.

El mundo se derrumbó alrededor del indio.

—Eso es todo. Espero que nuestro servicio le haya satisfecho. Si es el caso, dígaselo a sus amigos. Si no, no hace falta. Muchas gracias.

El joven Elton John, que consideraba terminada la conversación, giró su gran cabeza y sus gafas verde delfín hacia la mujer que se encontraba detrás de Dhjamal.

—Buenos días, señora. ¿En qué puedo ayudarla?

El faquir se separó para dejar pasar a la mujer. Preocupado, no le quitaba el ojo a su billete de 100 euros preguntándose cómo haría para conseguir, antes de las diez de la mañana del día siguiente, los 15,89 euros que le faltaban.

En un gran cartel colgado no lejos de las cajas, Dhja-mal pudo leer que la tienda cerraba sus puertas a las ocho de la tarde los lunes, martes y miércoles. De modo que, hacia las ocho menos cuarto, hora que marcaba el Swatch de plástico de una rubia maciza, creyó oportuno acercarse de nuevo a la sección de dormitorios.

Apenas se hubo deslizado, después de haber ojeado discretamente a su alrededor, bajo la cama de una habitación piloto de colores vivos y psicodélicos, una voz eléctrica de mujer resonó por los altavoces. Incluso acostado, el indio se sobresaltó y se golpeó la cabeza contra el somier que sostenía el colchón. Nunca hubiera pensado que uno pudiera sobresaltarse en posición horizontal.

Con todos los sentidos en alerta, el faquir se imaginó a los francotiradores dispuestos sobre los armarios apuntando con sus escopetas en dirección a la Birkeland bajo la que se escondía mientras un comando franco-sueco se acercaba en marcha militar para acorralarlo. En su pecho, el corazón le latía al ritmo de una banda sonora de Bollywood. Se quitó el imperdible de la corbata y se abrió el cuello de la camisa para respirar mejor. El final de su aventura estaba cerca.

Sin embargo, al cabo de unos minutos nadie lo había descubierto y dio por sentado que la voz del altavoz solo había anunciado el cierre de la tienda.

Respiró profundamente y esperó.

Unas horas antes, justo después de que el vendedor hubiera hecho su pedido, Dhjamal, preso del hambre, se había dirigido hacia el restaurante.

No sabía qué hora era. Y allí dentro no podía leer el sol. Un día, su primo Kura Sahn (pronunciado «Cruasán») le había contado que no había relojes de pared en los casinos de Las Vegas. Así, los clientes no se daban cuenta del tiempo que pasaba y gastaban mucho más dinero de lo que habían previsto. Ikea parecía haber copiado la técnica, pues no había ningún reloj en las paredes, y los que vendían no tenían pilas. Con o sin reloj, gastar más era un lujo que Dhjamal no podía de ninguna manera permitirse.

El indio buscó una muñeca y leyó la hora en un reloj deportivo de correa negra que debía de pertenecer a un tal Pierre Cardin.

Eran las 14.35.

Sin más dinero que el billete de 100 euros que su primo Pawan Bhyen le había impreso por una sola cara y que, añadido a los 15,89 euros, le permitiría comprar su nueva cama de clavos, Dhjamal cogió el camino hacia el restaurante de donde se escapaban los efluvios de algún guiso de carne y de pescado aliñado con limón.

Se colocó al final de la cola, detrás de una mujer de unos cuarenta años, delgada, rubia, de pelo largo, bronceada y vestida de manera bastante pija. La víctima perfecta, pensó Dhjamal acercándose a ella. Olía a perfume caro. Sus manos, con uñas pintadas de color burdeos, cogieron una bandeja y unos cubiertos.

Ese fue el momento que el indio escogió para sacar del bolsillo unas gafas de sol Police falsas y ponérselas. Luego, se pegó un poco más a la mujer y se procuró también una bandeja, un cuchillo que no tenía pinta de cortar demasiado y un tenedor de puntas desgastadas parecido a los que tenía por costumbre clavarse en la lengua. Se apoyó sobre la espalda de la mujer y contó en su cabeza. Tres, dos, uno. En ese momento, la francesa, que se sentía acosada, se dio bruscamente la vuelta, haciendo saltar por los aires las gafas de sol de Dhjamal, que estallaron en mil pedazos al caer al suelo. ¡Bingo!

—*Oh, my God!* —gritó el faquir enloquecido, mirando sus gafas antes de volver a colocar la bandeja y arrodillarse para recoger los cristales rotos.

Tampoco había que dramatizar tanto.

—¡Lo siento! —exclamó la mujer llevándose la mano a la boca. Después, dejó también la bandeja y se agachó para ayudarle.

Dhjamal echó una mirada triste a los seis pedazos de cristal ahumado y azulado que sostenía en la palma de su mano mientras la mujer le acercaba la montura dorada.

—¡Cuánto lo siento! ¡Qué torpe soy!

El estafador hizo una mueca y se encogió de hombros como si no tuviera importancia.

—*Never mind. It's OK.*

—Oh, pero ¡sí que *mind*! ¡*Mind* mucho! Déjeme que le compense.

Dhjamal intentó colocar los cristales en la montura. Pero en cuanto conseguía poner uno, otro caía enseguida en su mano.

Mientras tanto, la mujer estaba ya buscando su cartera. Sacó un billete de 20 euros y se excusó por no poder darle más.

El indio lo rechazó educadamente pero, ante la insistencia de la pija, cogió el billete y se lo guardó en el bolsillo.

—*Thank you. It is very kind of you.*

—Faltaría más. Y además le invito a comer.

Dhjamal se metió los trozos de sus gafas de sol en el bolsillo del pantalón y volvió a coger la bandeja.

Qué fácil era la vida para los ladrones. En unos pocos segundos, acababa de ganar los 15,89 euros que le faltaban para comprar la Misklavospikån más 4,11 euros de calderilla. Así, no solo se puso las botas (tomates con páprika, un *wrap* de salmón ahumado con patatas fritas, un plátano, todo acompañado de una Coca-Cola sin gas), sino que además tuvo el privilegio de no comer solo ese día.

Marie Rivière, que así se llamaba la mujer que también se encontraba sola, le había propuesto comer con él además de invitarle por el asunto de las gafas.

La víctima y su timador, el antílope y el león, en la misma mesa, riéndose a carcajadas de las historias de este personaje insólito con traje y turbante. Si alguien de

Tharta'l Yagurh hubiera visto la escena, seguramente no habría dado crédito a sus ojos. ¡Dhjamal, que había hecho voto de castidad y elegido una dieta equilibrada a base de clavos bio y otros tornillos, a la mesa con una encantadora europea, zampando patatas fritas y salmón ahumado! En la India, una foto así le habría valido la retirada inmediata de su licencia de faquir, e incluso un afeitado de bigote. Y además, de paso, una pequeña condena a muerte.

—No hay mal que bueno no venga —dijo la señora sonrojándose—. Si yo no romper las gafas, nosotros no haberse encontrado. Y encima yo no ver jamás los suyos bonitos ojos.*

Quizá no era propio de una dama decir eso. Quizá no debía ser ella la que diera el primer paso. Pero realmente pensaba que Dhjamal tenía unos bonitos ojos del color de la Coca-Cola, con manchitas amarillas en el iris que recordaban a las chispeantes burbujas de la famosa soda americana, esas mismas burbujas que faltaban cruelmente en el vaso del que ahora bebía. ¿Bonitas burbujas, o quizá fueran estrellas? Y además, había llegado a una edad en la que, si quería algo, debía cogerlo enseguida. La vida pasaba volando. Así que un empujón en la cola de un Ikea podía a veces dar más resultado que tres años abonado a Meetic.

El hombre sonrió, incómodo. Su bigote subió sobre los lados como el de Hércules Poirot, llevándose con él el collar de piercings que colgaba de sus labios. Marie pensaba

---

* Por problemas de comprensión, evitaremos en el futuro hacer una traducción demasiado literal del inglés aproximado de Marie.

que esos aros le daban un aire salvaje, viril, de chico malo, en fin, todo lo que le atraía de un hombre. La camisa era elegante. Era una buena mezcla. Tenía el auténtico estilo del aventurero limpio que la hacía fantasear.

—¿Se aloja en París estos días? —preguntó ella intentando frenar sus impulsos.

—Se podría decir así —respondió el rajastaní sin precisar que iba a pasar la noche en Ikea—. Pero me marcho mañana. Solo he venido a comprar algo.

—Algo por lo que vale la pena hacer un viaje de ida y vuelta de siete mil kilómetros para comprarlo… —dijo juiciosamente la bella pija.

Entonces el hombre le contó que había viajado a Francia con la intención de comprar el ultimísimo modelo de cama de clavos que acababa de salir al mercado. Un colchón de clavos era, en parte, como un colchón de muelles. Al cabo de cierto tiempo, se deformaba. En este caso, la punta de los clavos se desgastaba y había que cambiarlos. Por supuesto, evitó decir que no tenía ni un céntimo y que los habitantes de su pueblo natal, convencidos de sus poderes mágicos, habían financiado su viaje (escogiendo el destino más barato en un buscador de internet, en este caso París) para que el pobre hombre curase su reúma comprándose una cama nueva. Era una especie de peregrinaje. Ikea era algo así como su Lourdes particular.

Mientras le explicaba todo esto, por primera vez en su vida Dhjamal se sintió engañando. Para él, no decir la verdad se había convertido, a lo largo de los años, en algo natural. Pero había algo en Marie que lo hacía difícil. Encontraba a la francesa una mujer tan pura, tan tierna y tan buena… Tenía la impresión de ensuciarla. Y, de paso, de ensuciarse a sí mismo. Estaba un poco confuso ante aquel sentimiento nuevo, esa sombra de culpabilidad. Marie era guapa y reflejaba la inocencia y la bondad. Tenía una cara de muñeca de porcelana que respiraba la humanidad que él casi había perdido al sobrevivir en medio de una jungla hostil.

También era la primera vez que le preguntaban, que se interesaban por él, por otra cosa que no fuera curar un estreñimiento crónico o un problema de erección. Incluso empezaba a arrepentirse de haber estafado tan rastreramente a Marie por un plato de comida.

Y esas miraditas, esas sonrisas… ¿No estaría intentando ligar con él? Era raro viniendo de una mujer. En su país eran los hombres los que daban el primer paso. Pero así le daba emoción a la cosa.

En el interior de su bolsillo, Dhjamal acariciaba la montura de sus gafas de sol trucadas. Un mecanismo secreto permitía ensamblar los seis trozos de cristal y mantenerlos en tensión, pero, al más mínimo golpe, las piezas saltaban de su sitio dando la impresión de que las gafas se rompían en pedazos.

Desde que usaba este truco, había podido constatar que la gran mayoría de las personas, devoradas por un sentimiento de culpabilidad, daba dinero en compensación por su golpe desafortunado.

En realidad, no era nada original. Dhjamal solo había mejorado el timo del jarrón roto que había encontrado en un antiguo libro de trucos y estafas.

Material: una caja de cartón, un jarrón roto, papel de regalo.

Recorra una tienda con un paquete envuelto en papel de regalo. En este paquete, habrá metido de antemano un jarrón roto en mil pedazos. Caminando entre las secciones, acérquese a su víctima y péguese a ella. Cuando se sobresalte ante la sorpresa de su repentina presencia, suelte el paquete. En cuanto se caiga, dará la impresión de que el bonito jarrón que iba a regalar a su querida tía acaba de romperse a sus pies. La víctima, culpabilizada, le indemnizará enseguida.

—Sé cómo encanta a las mujeres —dijo Marie con una pequeña sonrisa—, pero lo que me gustaría saber es cómo encanta a las serpientes… Siempre me ha intrigado.

A decir verdad, el indio no tenía la intención de encantar a la francesa, pero aceptó el cumplido, si es que lo era. Y, como se sentía en deuda con ella por haberle robado rastreramente veinte euros, consideró que no perdía nada desvelándole un pequeño truco de faquir. Se lo merecía.

—Puesto que la encuentro encantadora, en el sentido literal de la palabra, voy a desvelarle este secreto de faquir —declaró entonces de manera solemne—. Pero tiene que jurarme que no se lo contará a nadie.

—Prometido —soltó Marie rozando su mano.

En el mundo real, dos bandejas de comida sueca les separaban, pero en el mundo de ella, él la abrazaba y le susurraba sus secretos al oído.

Confuso, Dhjamal retiró su mano.

—En mi pueblo —titubeó—, nos acostumbran a la presencia de las serpientes desde nuestra más tierna infancia. Cuando solo era un bebé de un año, mientras que usted jugaba con muñecas, yo tenía una cobra. Para mí era un juguete y un animal de compañía. Por supuesto, los adultos se aseguraban a menudo de que sus glándulas no tuviesen veneno obligando a la serpiente a morder un trapo que ponían sobre un tarro de mermelada vacío. El preciado líquido servía para fabricar un antídoto. Pero le aseguro que, incluso sin veneno, las mordeduras y los cabezazos de estos bichos no son muy agradables. En fin, usted quería saber cómo se encanta a una cobra. Pues bien, las serpientes son sordas, no sé si lo sabía. Así que el reptil sigue el movimiento de balanceo de la *pungi*, la flauta que se parece a una cantimplora atravesada por un trozo largo de madera con agujeros, y las vibraciones del aire causadas por el instrumento. Da la impresión de que baila, pero lo único que hace es seguir el balanceo de la flauta. Fascinante, ¿no?

Sí, Marie estaba fascinada. Aquella conversación superaba de lejos a todas las que podía haber tenido en los últimos años con los jóvenes que había llevado a casa cuando salía. Qué duro es vivir solo cuando no se soporta la soledad. Eso hace que uno haga cosas de las que luego se arrepiente. Y como para ella era mejor estar mal acompañada que sola, los días de después tenían a menudo el sabor amargo del arrepentimiento.

—Pero es bastante más difícil encantar a una mujer que a una serpiente —añadió el hombre para terminar con un pequeño toque de humor.

Y sonrió.

—Todo depende de la mujer…

A veces, la bella francesa parecía tan frágil como una muñeca de porcelana y, al instante, tan embelesadora como una pantera.

—Y de la serpiente…

La conversación tomaba un giro extraño. En la India era bastante sencillo: no se ligaba con los faquires. Al menos es lo que creía Dhjamal, puesto que jamás habían intentado ligar con él. La francesa le gustaba bastante, mucho en realidad, pero el problema era que solo estaba allí para una noche, que ni siquiera tenía hotel y que no había ido a Francia con el objetivo de encontrar una mujer. Tenía su misión y, además, los líos de una noche no eran lo suyo. No, decididamente era mejor olvidarlo. ¡Ale, rápido!

—Y usted, ¿qué venía a comprar? —farfulló para quitarse todas esas ideas de la cabeza.

Pero era difícil no mirar el escote de la francesa y no dejar volar la imaginación.

—Una lámpara y unos raíles metálicos para colgar los cubiertos encima del fregadero de mi cocina; nada glamuroso.

Aprovechando la ocasión, Dhjamal abrió su mano en posición vertical con la palma hacia él y colocó su tenedor. El cubierto quedó suspendido en el aire, detrás de sus dedos, en posición horizontal, como por arte de magia.

—¿Qué le parece este cuelgacubiertos? —preguntó—. ¡No encontrará ninguno como este en Ikea!

—¡Oh! ¿Cómo lo ha hecho? —exclamó, impresionada.

El indio frunció el ceño y se hizo el misterioso. Sacudió su mano para enseñar bien que el tenedor se quedaba sólidamente pegado por una potente e irresistible fuerza.

—¡Venga, dígamelo! —le presionó Marie como una niña caprichosa. Y cada vez que ella se inclinaba hacia él para ver lo que escondía detrás de su mano, Dhjamal se alejaba un poco más.

El mago sabía que, en esas circunstancias, el silencio tenía el don de poner nervioso y exacerbar la curiosidad de su público. Ya le había explicado el truco de la flauta. Revelarle este otro era como confesar que todo lo que hacía no era más que engaño y charlatanería. Para no perder caché, prefirió la mejor opción, la que empleaba con sus compatriotas: la mentira.

—Con mucho entrenamiento y meditación.

En realidad, si Marie hubiera estado del lado de Dhjamal, hubiera podido ver que el tenedor estaba atrapado entre la palma de su mano y un cuchillo que había puesto en posición vertical y metido en la manga. Lo que, como reconocerán fácilmente, no se consigue ni con mucho entrenamiento ni con mucha meditación.

—No ha terminado su postre —remarcó Dhjamal para distraerla.

Mientras Marie miraba su tarta de queso, el hombre aprovechó para retirar el cuchillo de su manga y lo puso, visto y no visto, a la derecha de su plato.

—Ya no le quiero, no me ha dicho cómo lo ha hecho… —dijo ella, enfurruñada.

—Un día tendré que enseñarle cómo es posible atravesarse la lengua con un alambre sin hacer ningún agujero.

Marie se sentía ya mareada. Eso no lo soportaría.

—¿Ha visto la torre Eiffel? —preguntó para cambiar de tema antes de que al hombre se le ocurriera agujerearse la lengua con su tenedor.

—No. He llegado esta mañana de Nueva Delhi y he venido directamente desde el aeropuerto.

—Hay tantas historias y anécdotas apasionantes sobre ese monumento… ¿Sabía que Maupassant odiaba la torre Eiffel? Comía todos los días allí porque era el único sitio de París desde el que no se la podía ver…

—Primero haría falta que supiera quién era ese tal Maupassant. ¡En todo caso, esta historia me gusta!

—Es un escritor francés del siglo xix. Pero espere —añadió mordiendo el último trozo de su tarta—, aún hay algo más crujiente, y no hablo de mi tarta de queso, que es bastante tierna: un estafador llamado Victor Lustig consiguió vender la torre Eiffel. ¿No es increíble? Después de la Exposición Universal de 1889, para la que se había construido, la torre debía ser desmontada y destruida. Es cierto que su mantenimiento representaba un gasto gigantesco para el gobierno francés. Este tal Lustig, entonces, se hizo pasar por un funcionario y, después de haber falsificado un contrato de venta nacional, vendió las piezas del monumento al propietario de una empresa de recuperación de metal por la módica suma de cien mil francos (la moneda, no los caudillos).

Cuando la mujer consiguió convertir la suma en rupias indias pulsando un botón de su móvil, Dhjamal se sintió un estafador de pacotilla al lado del tal Lustig. Para no quedar mal, se vio obligado a contar también a la preciosa pija historias y cuentos de su país.

—En todo caso —concluyó ella—, es una pena que no haya podido ver la torre Eiffel. Muchos de sus compatriotas trabajan allí. ¡Quizá hubiera encontrado un pariente! Venden torres Eiffel.

Dhjamal no entendió muy bien la alusión de la francesa. Sin duda un problema de traducción. ¿Quería decir que los indios que vivían en París eran todos agentes inmobiliarios? Si hubiera ido a pasear al Campo de Marte para verificar la información, se hubiera cruzado más con paquistanís y bangladesíes que indios, todos ocupados en vender, entre dos patrullas de policía, llaveros y otras réplicas en miniatura del monumento nacional.

—¿Sabe? Hacía tiempo que no me reía tanto o simplemente que no hablaba con un hombre de cosas tan…, tan diferentes —confesó Marie—. Me alegro de que todavía quede gente sincera y auténtica como usted. Personas que hacen el bien y lo propagan. Me siento tan bien con usted… Puede que suene idiota, pero acabamos de encontrarnos y tengo la sensación de que nos conocemos desde hace mucho tiempo. Tengo que admitir que estoy contenta, en cierto modo, de haberle roto las gafas.

Durante esta declaración, la francesa se había vuelto una pequeña muñeca de porcelana de largas pestañas rizadas.

¿Yo, una persona sincera que hace el bien y lo propaga?, se dijo el indio volviéndose hacia todos los lados para asegurarse de que la mujer hablaba de él. Y vio que sí. A veces, solo hace falta que la gente le vea a uno de cierta manera, sobre todo si la imagen es gratificante, para que se transforme en esa bella persona. Ese fue el primer electroshock que el faquir recibió en pleno corazón desde el comienzo de su aventura.

Pero no sería el último.

Al cabo de unos minutos bajo la cama, y como nadie había venido a importunarlo, Dhjamal acabó por dormirse. La posición horizontal, la oscuridad, el repentino silencio y el largo viaje habían doblegado su voluntad y su gran forma física. Si podía fingir no sentir nunca el dolor, no podía hacer lo mismo con el cansancio. Y, además, bajo esa cama no había público, así que podía permitirse el lujo de ser débil.

Cuando volvió a abrir los ojos, dos horas más tarde, había olvidado dónde estaba, como ocurre a veces cuando uno despierta de un sueño corto, y creyó que se había quedado ciego. Se sobresaltó golpeándose de nuevo la cabeza contra las láminas de madera y fue consciente de que se encontraba bajo la cama de una tienda Ikea, en Francia, y de que las camas francesas, o suecas, realmente eran muy bajas.

Se acordó de Marie, de la que se había despedido unas horas antes en la sección de cuartos de baño, no sin antes haberle jurado que la llamaría la próxima vez que fuera a Francia para que lo acompañara a visitar la torre Eiffel y encontrara a sus primos agentes inmobiliarios.

Ella parecía haberse decepcionado un poco con aquella manera de despedirse y con el hecho de que rechazara su propuesta de tomar una copa con ella esa misma noche en un barrio animado de la capital. Le hubiera gustado pasar la noche con ella, esa única noche parisina. Pero eso lo hubiera desestabilizado. Lo hubiera alejado de su misión. Solo una ida y vuelta. India-Francia. No hubiera podido irse. En fin, ahora tenía su número. Todo estaba confuso en su mente. Puede que algún día…

Dhjamal echó un vistazo a su alrededor, pero el paisaje que se extendía delante de él solo era linóleo azul, pelusas de polvo y pies de cama. Al menos, no veía ningún pie humano.

Sin hacer ruido, se deslizó para salir de su escondite lanzando furtivos vistazos hacia el techo de la tienda por si había cámaras de vigilancia. Pero no vio nada que se le pareciera. De hecho, no sabía demasiado a qué se parecía una cámara de vigilancia. En su pueblo no eran muy habituales. Finalmente, Ikea estaba un poco sobrevalorada. No había ni francotiradores encima de los armarios, ni cámaras, ni nada. Los soviéticos eran mucho más concienzudos en términos de seguridad.

Olvidándose de toda medida de precaución, se paseó por los pasillos, tranquilamente, como si fuera del brazo de Marie, vagando distraído entre los muebles en busca de un sillón o de un espejo para decorar su bonito apartamento parisino cuyas ventanas dieran a la torre Eiffel donde Maupassant había comido, aunque la detestaba, la mayor parte de su vida. La imaginó sola a esa hora, en su casa. Era una pena.

Buscó en su chaqueta el pequeño envoltorio de chicle

sobre el que la francesa había escrito su número de teléfono. Releyó varias veces la secuencia de cifras hasta que la aprendió de memoria. Eran números que respiraban amor. Resignado, enterró el papel en lo más profundo del bolsillo de su pantalón para no perderlo, cerca de su sexo. Ahí era donde metía todas las cosas a las que daba importancia. ¡Vamos, no había que seguir pensando! La misión. La misión ante todo.

Dhjamal miró a su alrededor. ¡Qué suerte tenía de encontrarse allí! Se sentía como un niño que hubiera entrado a hurtadillas en una tienda de juguetes. Él, que solo había conocido las modestas moradas de su primo Pathmaan (pronunciado «Batman») y de Rehmalasha (pronunciado «Remolacha»), tenía por una noche, a su entera disposición, un apartamento de más de mil metros cuadrados con decenas de dormitorios, salones, cocinas y baños. Lanzándose en un cálculo científico, se rindió rápidamente a la evidencia de que aquella noche no tenía suficientes horas para que pudiera dormir en todas esas camas que se le ofrecían.

Le sonaron las tripas.

Como Ricitos de Oro en la casa de los osos, el faquir, que no tenía más resistencia al hambre que al cansancio, se aventuró a la búsqueda de un buen festín. Se precipitó así en el laberinto de sillones y sillas de la sección de salones y siguió la dirección que indicaban los paneles que anunciaban el restaurante como un oasis en medio del desierto.

En un gran frigorífico gris encontró salmón ahumado, un recipiente lleno de nata, perejil, tomates y lechuga. Lo echó todo en un gran plato, se sirvió una soda del grifo, lo dispuso en una bandeja de plástico y retomó el camino contrario en dirección a la zona de exposición. Una vez ahí, se decidió por un salón decorado con muebles lacados blancos y negros. En las paredes, grandes fotografías de edificios neoyorquinos de color beis y amarillo daban un toque chic al conjunto. Nunca hubiera encontrado un hotel tan lujoso para pasar la noche, y aún menos por 100 euros, bueno, por un billete de 100 euros impreso por una sola cara.

El indio dejó su bandeja sobre una mesita baja, se quitó la chaqueta y la corbata y se sentó en un cómodo sofá de color verde. Delante de él, una televisión falsa de plástico invitaba a la imaginación. Hizo como si la encendiera y viera el último éxito de Bollywood mientras degustaba salmón ahumado, aquel extraño pero sabroso pescadito naranja fluorescente que comía por segunda vez ese día.

Uno se acostumbra rápido al lujo.

Terminada su cena, se levantó y estiró las piernas dando vueltas alrededor de la mesa. Fue en ese momento cuando se dio cuenta de que, en la biblioteca situada detrás del sofá, había un libro que no era como los otros.

En realidad se trataba de un periódico, uno de verdad, que alguien debía de haber olvidado allí. A su lado reposaban los libros falsos de cartón que ya había visto por la mañana en otras bibliotecas expuestas.

Sin idea de francés, ni siquiera se hubiera molestado en abrirlo si no fuera porque reconoció la inimitable primera página del periódico estadounidense *Herald Tribune*. La noche promete, pensó, lejos de imaginar hasta qué punto, aunque por otras razones.

Dhjamal fingió apagar la televisión y se lanzó a la lectura del diario. No soportaba tener el aparato encendido si no lo miraba. En su país, la electricidad era un lujo. Ojeó el artículo de la primera página. El presidente francés se llamaba Hollande. ¡Qué cosa más rara! ¿Acaso el presidente de Holanda se llamaba France? Estos europeos eran muy extraños…

¡Recuerden ese patinador artístico que cada año, en el aniversario de la muerte de Michael Jackson, recorría seis mil kilómetros haciendo el *moonwalk* desde París hasta el cementerio de Forest Lawn Memorial Park a las afueras de Los Ángeles, donde su ídolo estaba enterrado! Dhjamal no era un crack en geografía, pero le costaba imaginar al hombre continuar haciendo el célebre paso de baile durante la travesía del Atlántico, ya fuera en avión o en barco.

Víctima de una risa nerviosa y de unas irresistibles ganas de orinar, el indio se levantó del sofá y atravesó en calcetines, sin *moonwalkear*, los salones piloto en dirección al baño.

Pero nunca llegaría a él.

Voces y ruidos de pasos procedentes de la escalera principal resonaron en medio del silencio de la tienda, transformando por un instante el pecho de Dhjamal en las gradas de los hinchas de fútbol en una tarde de partido. Enloquecido, miró hacia todos los lados y se escondió en el primer armario que pasaba por ahí, una especie de taquilla metálica azul de dos puertas, obra maestra de la última colección «American Teenager». Una vez en el interior, rezó para que no encontraran su chaqueta sobre el sofá. Rezó también para que no descubrieran su bandeja abandonada sobre la mesa. Y rezó, sobre todo, para que nadie abriera la puerta del armario. Si eso sucedía, diría que se había metido allí para tomar medidas y que había perdido la noción del tiempo. Sacó del bolsillo de su pantalón un lápiz de madera y una regla de papel que medía un metro con el logo de Ikea y se quedó allí, inmóvil en la oscuridad, esperando a que lo sorprendieran de un momento a otro. En su pecho, los hinchas de fútbol estaban rompiéndolo todo. Fuera, las voces se acercaban, incluso lo rodeaban, pero finalmente nadie lo descubrió. Aunque quizá hubiera sido mejor que lo hicieran.

Julio Sympa y Michou Lapaire, el director de Ikea Thiais y su responsable de decoración, subieron las escaleras que llevaban a las habitaciones piloto, seguidos por su corte, una retahíla de hombres y mujeres en camiseta amarilla y pantalón comando azul marino.

Si estaban aún en el trabajo a esa hora era para poner en marcha la nueva colección.

Julio Sympa, un gigante de dos metros que había escalado cuatro veces el Mont Blanc y había leído cada vez en la cima *Por qué tengo tanto frío* de Josette Camus antes de volver a bajar ochocientas cincuenta y tres páginas más tarde, se detuvo delante de la habitación «American Teenager» y apuntó su dedo en distintas direcciones antes de continuar su camino.

Michou Lapaire, que siempre había deseado nacer mujer, anotaba en su cuaderno de color rosa el nombre de los muebles elegidos por su jefe removiendo mucho aire a su alrededor.

Mientras tanto, los miembros del equipo técnico, que seguramente no habían oído hablar de *Por qué tengo tanto frío* de Josette Camus ni habían soñado nunca con haber nacido con un sexo diferente del suyo, se pusieron los guantes, desenrollaron el papel de burbujas y empujaron las cajas que servirían para transportar los muebles sin riesgo de que se rompieran. Por razones imperativas de tiempo, el director había dado órdenes de no desmontar los muebles (¡el colmo en Ikea!) y de guardarlos directamente en las grandes cajas de madera. De este modo evitarían un desmontaje y un montaje tan tortuoso para la mente como doloroso para el cuerpo.

Mientras los técnicos se afanaban en subir el armario metálico azul y en guardarlo en una caja de madera bastante más grande que él, se oyó una especie de ligero chapoteo, como un discreto hilo de agua que cae de un grifo. Si alguien hubiera abierto el armario en ese momento, habría encontrado a Dhjamal en una postura bastante vergonzosa, de pie, encorvado contra una esquina, ocupado en dejar vía libre a la imaginación desbordante de su vejiga mientras le balanceaban a unos centímetros del suelo. Se orinaba igual de mal en un armario que en un avión, observó el indio, que jamás hubiera imaginado que llegaría a tal constatación.

Fuera como fuese, nadie abrió la puerta del armario.

—Cuando hayan recogido todo esto —dijo Julio Sympa, que lo oía todo—, repárenme esa fuga.

Después apuntó su dedo inquisidor hacia el despacho-tobogán a unos metros de allí, como si lo condenara a muerte. Lo que era un poco el caso.

En ese mismo momento, es decir, en el instante preciso en el que Julio Sympa apuntaba con su dedo inquisidor hacia el despacho-tobogán como si lo condenara a muerte, a las once de la noche en punto, Gustave Palourde aparcaba su taxi en el arcén de la carretera, se aseguraba de que las ventanas y las puertas estuvieran bien cerradas y comenzaba a contar, frotándose las manos, las ganancias de la jornada.

Era el pequeño ritual del final del servicio, la pequeña satisfacción del trabajo bien hecho. Desde que un día su mujer, Mercedes Shayana, lo sorprendió en casa contando los billetes después del trabajo y de que, tras descubrir su escondite, le robara buena parte del dinero para comprarse bolsos con estampado de cocodrilo en piel de vaca, Gustave había cogido la manía de actuar de ese modo. «No hay por qué tentar al diablo», les repetía a sus colegas desde el incidente, aunque no vaya vestido de Prada…

Tras terminar de contar la recaudación, el viejo gitano echó un vistazo a su bloc de notas y se dio cuenta de que el cúmulo de carreras de la jornada no se correspondía con la suma que tenía en las manos, que había dejado de frotarse contrariado. Repitió los cálculos varias veces, primero de cabeza y después con la calculadora de su móvil, pero el resultado siempre era el mismo. Había una diferencia de 100 euros. Rebuscó en el estuche de maquillaje que había «pedido prestado» a su mujer, cuestión de pagarle con la misma moneda, y en el que traspasaba el total del efectivo, rebuscó en su monedero, cada vez más nervioso, pasó la mano bajo su asiento, luego por el del pasajero, por los compartimentos bajo las ventanillas e, incluso, desesperado, por la ranura de la palanca de cambios. Pero lo único que encontró fue polvo.

100 euros. Gustave volvió a pensar en el billete verde del indio que había dejado en Ikea. Había sido la carrera más cara del día. Por tanto, no había podido dar el billete como cambio a ningún otro cliente.

—Y si no tengo ese puñetero billete, solo puede significar que…

No le hizo falta más tiempo al gitano para darse cuenta de que había sido víctima de alguien más chorizo que él. Revivió la escena. El indio dándole el billete. Él cogiéndolo con la mano. Él abriendo su cartera y metiéndolo dentro. El indio agitando los brazos para señalarle algo. Él mirando. Él no viendo nada interesante. Él diciéndose que el indio estaba un pelín tocado. Él guardando su cartera. Él inclinándose hacia la guantera para coger una tarjeta de visita.

—¡Qué cabrón! —exclamó Gustave—. Los aspavientos eran para desviar mi atención mientras él recuperaba su billete. *Le fumier!**

---

* Insulto francés algo más fuerte que «niño malo».

Si había algo en este mundo que el taxista parisino no soportaba era ser el chorizo choriceado, el cazador que cae en su propia trampa, el idiota de la cena. Se prometió encontrar al indio lo más pronto posible y hacerle comer su turbante, palabra de gitano.

Diciendo esto, acarició la figurilla de santa Sara, patrona de los gitanos, que colgaba del retrovisor. Y cuando arrancó a toda pastilla, esta chocó contra san Fiacre, patrón de los taxistas franceses, que estaba a su lado.

Durante el viaje hacia casa (la caravana), Gustave maldijo al indio entre dientes. Ni siquiera escuchó su CD de los Gipsy Kings que siempre tenía en el lector. Eso sí que era estar enfadado. Y mientras intentaba poner al semáforo más verde que al indio, se le ocurrió una idea. Una vez terminadas sus compras en la tienda, el indio quizá había utilizado la tarjeta de visita de Taxis Gitanos que él le había dado. De ser así, uno de sus compañeros habría aceptado forzosamente la carrera. Solo tendría que preguntarle dónde lo había dejado e iría a buscarlo para pegarle una buena paliza. Dicho y hecho, Gustave cogió la radio.

—A todas las unidades (había copiado la frase de *Starsky y Hutch*), ¿alguno de vosotros ha llevado hoy a un indio con traje gris muy arrugado, corbata roja sujeta a la camisa, turbante blanco, cara atravesada por un bigote, alto y delgado como un árbol seco, un indio, vamos, en el Ikea Thiais? Es un código C (de Caco), repito, código C (de Carterista), habéis oído bien, un código C (de ¡Como te Coja, Caco Carterista, te vas a Cagar!).

»Confiar en un payo, además indio, para un trayecto Roissy-Ikea, ¡nunca más! —gruñó el taxista, diciéndose que un evento como ese debía de producirse tan a menudo como el paso del cometa Halley (el próximo estaba previsto para el 28 de julio de 2061) y que quizá, después de todo, no era una buena idea comentarlo en la cena a su mujer y parecer un idiota delante de su hija, que ya lo consideraba suficientemente tonto así.

Al cabo de unos minutos, ninguno de sus colegas de servicio esa tarde le dijo haber cogido a ese misterioso pasajero. O ha contactado con otra compañía de taxis, o ha alquilado una furgoneta por su cuenta, o se encuentra todavía en la zona industrial, dedujo Gustave. Para las dos primeras opciones no puedo hacer nada antes de mañana. Sin embargo, para la última, aún puedo ir a ver si hay algún hotel cerca de la tienda. Estoy al lado, solo tardaré un cuarto de hora.

Tras pensar esto, dio media vuelta derrapando ruidosamente mientras santa Sara, patrona del pueblo gitano, se acurrucaba unos instantes en los brazos protectores de un san Fiacre sonriente.

Cuando Gustave llegó a Ikea, un gran camión de transporte de mercancías estaba saliendo. Se echó a un lado y lo dejó pasar, lejos de imaginarse que en aquel remolque había una enorme caja de madera que, al igual que una muñeca rusa, contenía una más pequeña de cartón que contenía un armario de metal que contenía a su vez al indio a quien buscaba.

Retomó el camino y dio la vuelta al establecimiento, pero no vio nada sospechoso. Un inmenso centro comercial cerrado, un Starbucks abierto pero vacío… De todo salvo un hotel. De todo salvo un indio alto y delgado como un árbol seco, con traje, corbata y turbante que estafaba a los honestos taxistas gitanos franceses.

Al otro lado de la avenida había urbanizaciones, pero, a menos que conociera a alguien que viviera en el lugar, el ladrón no podía estar allí.

Claro que…, se dijo Gustave, que no se perdía ni un programa de *Pekín Express*, con esta gente nunca se sabe. Puede que haya encontrado refugio en casa de alguien para pasar la noche, con su palabrería y sus trucos de magia.

Y, como nunca se sabe, se coló con su Mercedes en las calles repletas de bonitas casas y salió a la avenida principal de donde venía.

Hacía falta arreglar aquel asunto enseguida, puesto que al día siguiente se iba de vacaciones a España con su familia. Solo veía una solución: llamar a los profesionales.

Las nuevas normas de atención al público de la Policía Nacional decretaban que, a partir de ahora, todo buen ciudadano francés tenía derecho a denunciar cualquier infracción, aunque fuera insignificante, en la comisaría que quisiera. El policía, que no disfrutaba de ningún derecho, tenía la obligación de tomar nota de la denuncia, aunque la considerara insignificante, y, sobre todo, de no dirigir al denunciante a otra comisaría para quitárselo de encima, una práctica hasta entonces bastante común. Reinaba pues, desde hacía unos meses, un ambiente malsano entre las víctimas enojadas, cansadas de que la cola no fuera más rápida que en correos o en la carnicería de la esquina, y los policías amargados, por no ser más que humanos y no pulpos cuyos tentáculos podrían ser usados para tomar nota de varias denuncias a la vez. Sentimiento exacerbado cuando caía la noche, ya que el número de establecimientos abiertos desaparecían tan deprisa como un cubito de hielo sobre el ombligo de Kim Basinger, concentrando al conjunto de víctimas parisinas sobre un único punto, cosa que las nuevas normas de atención al público deseaban precisamente evitar.

Pasaron solo tres horas entre el momento en que Gustave había tomado la decisión de avisar a la policía y el momento en que declaraba, victorioso, delante del funcionario de guardia.

Preocupado por no estropear las relaciones armoniosas establecidas entre la policía de calle y la comunidad gitana situada al otro lado del periférico, el agente había mandado rápidamente al oficial de noche y a un colega a Ikea, en compañía de la víctima, para visionar las cintas de vídeo que las cámaras de vigilancia habían grabado durante la jornada. Iban a encontrar a ese jodido faquir indio que venía a sembrar cizaña entre sus gitanos y devolvería lo que había robado al taxista hasta el último céntimo de euro.

Así fue como Gustave Palourde, la comandante de policía Alexandra Lidiote y el agente Stéphane Demarmole se encontraron, en plena noche, en el estrecho puesto de seguridad de la tienda mirando cómo un indio recién llegado de su país se pasaba unos buenos veinte minutos observando las puertas automáticas que daban al vestíbulo antes de decidirse a entrar.

—Si hace eso en cada puerta, estaremos aquí hasta mañana por la tarde —dijo el vigilante de seguridad que estaba a los mandos del vídeo.

—Después no hay más puertas —rectificó el director de la tienda, el señor Julio Sympa, limpiando sus gafas redondas a lo Harry Potter con un grueso pañuelo de tela.

—Siempre podemos pasar la cinta a cámara rápida —añadió la comandante Lidiote, segura de que con esa proposición no pasaría por idiota, cosa que no le gustaba, como su apellido no indicaba.

—Corremos el riesgo de que parezca Benny Hill —exclamó el taxista, cuyas referencias culturales se limitaban al mundo de la televisión.

—¡Cállese y déjenos trabajar! —cortó fríamente Demarmole, que tenía siempre dificultades para quedarse así, de mármol.

Ajeno a aquella animada conversación sobre su persona, el indio erraba por los pasillos. En cuanto una cámara lo perdía, otra lo recuperaba enseguida en su campo. ¡Y él no había reparado en ninguna! Se le vio comer en el restaurante acompañado de una rubia guapa que le había empujado y roto sus gafas de sol.

—Apuesto a que esta cae en sus redes —observó Gustave, que tenía la impresión de estar viendo un episodio de *Gran Hermano* en su caravana.

Pasaron la comida en modo acelerado y las idas y venidas del hombre, esta vez solo, por los pasillos. Efectivamente parecía un *sketch* de *Benny Hill*. Volvieron a visionarlo todo a velocidad normal cuando el indio se metió, contra todo pronóstico, bajo una cama.

—Birkeland. Excelente elección, es nuestra cama estrella —dijo Julio Sympa antes de que cuatro pares de ojos negros lo fulminaran.

Luego vieron al ladrón salir de su escondite, prepararse un gran plato en la cocina y degustarlo viendo una televisión de plástico apagada en un salón piloto. Después leyó un periódico, tirado en el sofá, en calcetines. No hubiera estado mejor ni en su casa.

—¡Lo tenemos! —exclamó de repente el vigilante golpeando con su índice la pantalla del monitor.

Seguidamente se levantó de su asiento como alma que

lleva el diablo, se precipitó hacia la puerta y salió sin que nadie supiera qué mosca le había picado.

Solos, los otros continuaron viendo la grabación. Hacia las diez y cuarto de la noche, el director de la tienda aparecía en la pantalla, acompañado de un gordito que parecía haber deseado siempre ser mujer y de un equipo técnico de lo más completo. Julio Sympa se encontró muy fotogénico y lamentó no haber hecho carrera en el cine.

—El papel de Harry Potter ya estaba pillado —murmuró, resignado, ajustándose las gafas.

Entonces vieron al indio saltar a la pata coja y esconderse en un armario metálico azul antes de que los técnicos comenzaran a embalarlo en papel de burbujas, después en un cartón y por fin en una gran caja de madera. El equipo lo amarró luego con largas cintas y llevó el paquete sobre un gigantesco carro eléctrico en dirección al montacargas.

En ese momento, el vigilante, fan de series policíacas americanas, entró en el puesto de seguridad. Sostenía la bandeja del indio, que encontró en su sitio sobre la mesita del salón lacado blanco y negro. Había puesto encima una chaqueta gris, una corbata roja y un par de zapatos negros.

—Este plato y este vaso están llenos de huellas —anunció, orgulloso—, y seguramente encontrarán cabellos en estas prendas.

La comandante de policía hizo una pequeña mueca de asco al ver los zapatos sucios. Ignorando al vigilante, se volvió hacia el director de la tienda.

—¿Qué ha hecho con ese armario?

—¿El armario que se ve en esta secuencia? —titubeó el hombre, que se descomponía por momentos.

—Sí, el armario que justamente ya no se ve en esta secuencia.

—Expedido…

—¿Expedido?

—Sí, enviado, transferido.

—Sé muy bien lo que significa «expedido» —cortó Lidiote, que sentía que la empezaban a tomar por idiota—. Lo que quiero saber es adónde lo ha enviado.

El hombre se mordió el labio superior. Si hubiera sido Harry Potter, habría podido desaparecer con un simple golpe de varita mágica.

—Al Reino Unido…

Todo el mundo tragó saliva al mismo tiempo.

Cada uno la suya, por supuesto.

U nas voces despertaron a Dhjamal.
Unas voces graves de hombre.

Ni siquiera se había dado cuenta de que se había quedado dormido. Desde que había entrado en el armario, le habían balanceado en todos los sentidos. Sintió que lo levantaban de la tierra, sintió que le hacían rodar. Sobre todo sintió que le habían golpeado contra los muros, las escaleras y otros ONI, Obstáculos No Identificados.

Varias veces había estado tentado de salir y confesarlo todo. Quizá hubiera sido mejor que dejarse zarandear y transportar hacia lo desconocido. Por otra parte, la oscuridad y las voces incomprensibles en francés al otro lado del armario eran bastante imponentes.

Sin embargo, Dhjamal resistió.

Al cabo de unos minutos, no había vuelto a oír ni sentir nada. De hecho creía que había muerto. Pero el dolor provocado por el pellizco que se había dado en el dorso de la mano le había confirmado que no lo estaba, al menos no aún, y que solo le habían abandonado a su triste suerte en el silencio y las tinieblas. Intentó salir del armario, pero no lo consiguió. Agotado y resignado, se había dejado llevar por los poderosos limbos del sueño.

Ahora, las potentes voces no dejaban de hablar. El indio creyó distinguir cinco diferentes. No era fácil, todas tenían la misma tonalidad grave, sorda, como de ultratumba. Pero una cosa estaba clara, no eran las mismas que había oído a su alrededor en la tienda. Hablaban muy deprisa y utilizaban muchas onomatopeyas, sonidos secos y abruptos que no le eran desconocidos. Árabe, pero hablado por negros, pensó el indio.

Uno de los hombres se echó a reír. Parecía un colchón de muelles chirriantes bajo la pasión de dos amantes.

Sin saber si aquellas voces eran de amigos o de enemigos, el faquir contuvo la respiración. Por amigo entendía toda persona que no se molestaría si lo encontraba dentro de ese armario. Por enemigo, el resto: empleados de Ikea, policías, la posible compradora del armario, el posible marido de la posible compradora que al volver del trabajo encuentra un indio en calcetines en su nuevo armario…

A duras penas logró tragar saliva en un intento de humedecerse la boca. Tenía los labios pastosos, como si alguien los hubiera pegado con cola. Un terrible sentimiento de pánico le asaltó: más terrible incluso que el miedo a ser descubierto vivo era el de ser descubierto muerto dentro de aquel armario barato.

Durante los espectáculos en su tierra natal, Dhjamal permanecía semanas sin comer, sentado en la posición del loto junto al tronco de un baniano como había hecho, dos mil quinientos años antes, el fundador del budismo, Siddharta Gautama. Solo se permitía el lujo de alimentarse una vez al día, a las doce, de tornillos, tuercas y otros clavos oxidados que la gente del pueblo le llevaba como ofrenda. Pero en mayo de 2005, un adolescente de quince años llamado Ram Bahadur Bomjam, presentado por sus adoradores como la persona que llevaba seis meses meditando sin beber ni comer, le había arrebatado la fama. Las televisiones del mundo entero se habían dirigido entonces hacia el impostor, abandonando a Dhjamal en su arbolito.

En realidad, como era un glotón, nuestro faquir no podía pasar ni un solo día sin comer. Al anochecer, iban a cerrar la tela de la tienda suspendida delante de la higuera y se atiborraba de las provisiones que su primo Arobaasmati (pronunciado «Arroz basmati»), cómplice de gran parte de sus trucos, le llevaba. En cuanto a los tornillos y tuercas, eran de carbón, lo que, lejos de ser sabroso, era por lo menos más fácil de tragar que los verdaderos clavos de acero, aunque estuvieran oxidados.

Pero Dhjamal nunca había ayunado encerrado en un armario sin provisiones escondidas en el doble fondo. Quizá lo conseguiría si se veía obligado. El médico de Tharta'l Yagurh le había confirmado un día que un ser humano, faquir o no, no podía sobrevivir de media más de cincuenta días sin comida y no más de setenta y dos horas sin agua. Setenta y dos horas, o sea tres días.

Por supuesto, solo habían pasado cinco horas desde que había comido y bebido por última vez, pero eso el indio no lo sabía. En la oscuridad del armario había perdido cualquier noción del tiempo. Y como se daba el hecho de que tenía sed en ese preciso momento, su naturaleza hipocondríaca, no demasiado compatible con su función de faquir, le llevó a pensar que a lo mejor ya habían pasado las setenta y dos horas fatídicas y que su esperanza de vida estaba a punto de consumirse como una vela encendida desde hace tiempo.

Si el doctor tenía razón, el indio tenía que beber inmediatamente. Ya fueran voces amigas o enemigas al otro lado de la puerta del armario, nuestro hombre la empujó de nuevo con el fin de liberarse. Era una cuestión de vida o muerte. Pero, otra vez, sus esfuerzos fueron en vano. Sus brazos endebles y huesudos no le permitían romper, al contrario que sus ídolos de Bollywood, las puertas de los armarios, fueran o no de Ikea.

Debió de hacer un poco de ruido, puesto que las voces cesaron de repente.

De nuevo, Dhjamal contuvo la respiración y esperó, con los ojos muy abiertos, aunque todo estuviera oscuro a su alrededor. Pero no se encontraba en un escenario, en un recipiente de cristal lleno de agua, con una tapa lo suficientemente gruesa como para poder respirar en cuanto se bajara la cortina. Solo aguantó unos segundos en apnea y retomó la respiración con un ruidoso relincho de caballo.

Oyó pequeños gritos de estupor al otro lado, luego unas señales de agitación: una lata de conservas que caía sobre un suelo metálico, gente empujándose…

—¡No se vayan! —gritó con su mejor acento inglés.

Tras un breve silencio, una voz le preguntó, en el mismo idioma, quién era. El acento era inconfundible. Se trataba efectivamente de un negro. Aunque en realidad, desde el interior de un armario sumido en la oscuridad, todo el mundo podía parecerlo.

El indio sabía que debía tener cuidado. Los africanos

eran, la mayoría, de religión animista y fácilmente le daban vida a cualquier cosa, un poco como en *Alicia en el País de las Maravillas*. Si no les decía la verdad, creerían sin duda haber encontrado un armario que hablaba y huirían a toda prisa de ese lugar maldito, llevándose con ellos la única oportunidad que le quedaba para salir vivo de allí. Pero todavía ignoraba que aquellos hombres no eran animistas, sino musulmanes, y que, encontrándose en un camión, nunca hubieran podido salir a toda prisa, incluso aunque lo hubieran deseado con todas sus fuerzas.

—Bueno, ya que me lo preguntan, me llamo Dhjamal Mekhan Dooyeghas —comenzó el indio haciendo uso de su acento más oxfordeño (un armario no podía tener un acento tan bueno)—. Soy rajastaní. Puede que no lo crean, pero me he quedado atrapado en este armario mientras cogía medidas en una gran tienda francesa, bueno, sueca. No tengo agua ni comida. ¿Podrían decirme dónde estamos, por favor?

—Estamos en un camión de mercancías —dijo una voz.

—¿Un camión de mercancías? ¡Toma ya! ¿Y estamos avanzando?

—Sí —respondió otra voz.

—Qué raro, no siento nada, pero les creo si me lo dicen, no tengo más remedio. ¿Y puedo saber hacia dónde nos dirigimos, si no es mucha indiscreción?

—A Inglaterra.

—Bueno, eso espero —replicó una tercera voz.

—¿Eso espera? ¿Y puedo preguntarles qué hacen en un camión de mercancías del que desconocen el destino con exactitud?

Las voces discutieron un instante en su idioma nativo. Al cabo de unos segundos, una voz más grave, más potente, sin duda la del líder, cogió el relevo de la conversación y respondió.

El hombre dijo que se llamaba Mohamed (pronunciado «Mójame»), que eran seis en el camión y todos sudaneses. Estaban Kougri, Basel, Mustafa, Nijam y Amsalu (pronunciado como les parezca). Faltaba Hassan, que había sido detenido por la policía italiana. Los siete hombres habían salido de su país, más exactamente de la ciudad de Yuba, en el actual Sudán del Sur, hacía casi un año. Habían vivido, desde entonces, un periplo digno de las mejores novelas de Julio Verne.

Desde la ciudad sudanesa de Selima, los siete amigos habían cruzado la frontera entre Sudán, Libia y Egipto. Allí, traficantes egipcios les habían conducido hasta Libia, primero a Al-Koufrah, en el sudeste, y luego a Benghazi, al norte del país. De ahí se habían dirigido hacia Trípoli, donde habían trabajado y vivido durante ocho meses. Una noche, habían embarcado en un pesquero, con otras sesenta personas, para alcanzar las costas de la pequeña isla italiana de Lampedusa. Habían sido arrestados por los *carabinieri* y llevados al centro de retención de Caltanissetta en Sicilia. Los traficantes les habían liberado para después pedir un rescate a sus familias. 1.000 euros, un montón de dinero para ellos. La comunidad había colaborado y pagado. Menos para Hassan, que nunca pudo salir. Los rehenes habían sido liberados y montados en un tren que iba de Italia a España. Habían acabado en Barcelona. Creyendo que la ciudad estaba en el norte de Francia, habían pasado unos días allí antes de darse cuenta de su error y coger un nuevo tren hacia tierras galas, y más concretamente hacia París. En definitiva, los inmigrantes ilegales habían tardado casi un año en recorrer la misma distancia que un pasajero en regla habría hecho en apenas once horas de vuelo. Un año de sufrimiento e incertidumbre contra once horas cómodamente sentados en un avión.

Mohamed y sus acólitos se habían quedado tres días en la capital antes de retomar el tren con destino a Calais, última etapa antes del Reino Unido. Habían permanecido diez días allí, ayudados en gran parte por los voluntarios de la Cruz Roja, benditos sean, quienes les habían dado de comer y les habían ofrecido un sitio para dormir. De hecho es así como la policía conoce el número de inmigrantes ilegales en espera en la zona. ¿Que la Cruz Roja había servido doscientos cincuenta platos? Pues bien, al menos había doscientos cincuenta inmigrantes.

Para la policía eran criminales; para la institución humanitaria, eran hombres con dificultades. Era desestabilizante vivir con esa dualidad y ese miedo en el estómago.

Esa noche, hacia las dos de la madrugada, se habían montado en un camión cuando circulaba lentamente en la fila de vehículos que estaban a punto de coger el túnel del Canal de la Mancha.

—¿Me está diciendo que se montaron en un camión

en marcha? —exclamó Dhjamal, como si fuera el único detalle de la historia que importara.

—Sí —contestó Mohamed con su voz grave—. El traficante abrió la puerta con una barra de metal y nosotros saltamos al interior. El conductor ni siquiera debió de darse cuenta.

—Pero ¡eso es superpeligroso!

—Lo que sí era peligroso era quedarse en el país. No teníamos nada que perder. Imagino que a ti te pasa igual.

—Están muy equivocados, yo no soy un inmigrante ilegal y no tengo intención de ir a Inglaterra —se defendió el indio—. Ya se lo he dicho, soy un faquir de lo más honesto, me he quedado atrapado en este armario cuando tomaba medidas en una gran tienda. Fui a Francia para comprar una nueva cama de clavos y…

—Déjate de tonterías —cortó el africano, que no se creía la rocambolesca historia del indio—. Estamos todos en el mismo barco.

—En el mismo camión… —rectificó el otro en voz baja.

Una profunda conversación se inició entonces entre los dos hombres a los que todo parecía separar, empezando por una puerta de armario, pero a los que el destino, al fin y al cabo, había unido. Quizá era más fácil para el inmigrante ilegal hablar frente a una puerta, pequeño confesionario improvisado entre los traqueteos de un camión ebrio, que frente a la mirada de otro ser humano que le habría podido juzgar con un solo fruncido de cejas o con un inocente pero devastador parpadeo. Mohamed empezó a contar al indio todo lo que le pesaba sobre el corazón desde que había decidido emprender un día ese viaje largo e incierto. A veces es más fácil abrirse a un desconocido.

Dhjamal supo entonces que si Mohamed había dejado su país no era por una razón tan banal como comprar una cama en una famosa tienda de muebles. El sudanés había abandonado a los suyos para probar fortuna en los «bonitos países», como le gustaba llamarlos. Porque su único pecado había sido nacer en el lado equivocado del Mediterráneo, allí donde la miseria y el hambre habían florecido un buen día como dos enfermedades gemelas, pudriendo y destruyendo todo a su paso.

La situación política de Sudán había sumergido al país en una crisis económica que había obligado a un gran número de hombres, los más fuertes, a emprender los caminos tortuosos de la emigración. Pero incluso los más fuertes se volvían, fuera de casa, hombres vulnerables, animales abatidos y de mirada muerta, los ojos llenos de estrellas apagadas. Lejos de sus hogares, se convertían en niños asustados que solo podrían consolarse si su empresa tenía éxito.

Ese miedo se traducía en un fuerte dolor en el pecho, había resumido Mohamed dándose golpes en el tórax. Y un potente ruido había retumbado hasta dentro del armario de Dhjamal. Sentir el corazón que late fuerte en el pecho cada vez que el camión frena, cada vez que se para. El miedo a ser descubierto por la policía, acurrucado detrás de un cartón, el culo en el polvo en medio de decenas de cajas de verduras. Una humillación. Porque hasta los inmigrantes ilegales tenían honor. Despojados de sus bienes, de sus pasaportes, de su identidad, quizá era la última cosa que les quedaba, el honor. Esa era la razón por la que viajaban solos, sin mujeres ni hijos. Para que nunca los vieran así. Para que se les recordara grandes y fuertes. Siempre.

No era el miedo a los golpes lo que retorcía las tripas, no, pues en ese lado del Mediterráneo no se pegaba. Era el miedo a ser devuelto a su país, o aún peor, a un país desconocido, porque a los blancos no les importaba a donde los enviaban. Lo importante para ellos era no volver a verlos. Un negro molesta. Y ese rechazo era más doloroso que los golpes de porra que, al fin y al cabo, solo destruían los cuerpos y no las almas. Era una cicatriz invisible que nunca desaparecía y con la que había que aprender a vivir, a revivir, a sobrevivir.

Porque su voluntad era inalterable.

Todos los medios eran buenos para alcanzar un día los «bonitos países». Incluso si Europa no quería compartir el pastel con ellos. Mohamed, Kougri, Basel, Mustafa, Nijam, Amsalu, seis hombres entre centenares que habían probado suerte antes y después que ellos. Se trataba siempre de los mismos, siempre del mismo corazón hambriento que latía en sus pechos y, sin embargo, en esos países donde todo crecía a espuertas, las casas, los coches, las verduras, la carne y el agua, algunos los consideraban víctimas y otros criminales.

A un lado, las asociaciones; al otro, la policía. A un lado, los que los aceptaban sin pedirles cuentas; al otro, los que los expulsaban sin miramientos. Había para todos los gustos. Y Mohamed repitió que era imposible vivir con esa dualidad y ese pellizco en el estómago de no saber nunca con quién te ibas a topar.

Pero el riesgo valía la pena.

Ellos lo habían abandonado todo para llegar a un país donde pensaban que les dejarían trabajar y ganar dinero, aunque fuera recogiendo mierda con las manos. Era lo único que pedían, recoger mierda con las manos, siempre y cuando les aceptaran. Encontrar un trabajo honesto con el fin de poder enviar dinero a sus familias, a su pueblo, para que sus hijos dejaran de tener esos vientres hinchados como pelotas de baloncesto, y a la vez tan vacíos, para que todos sobrevivieran bajo el sol, sin esas moscas que se pegan a los labios después de haberse pegado al culo de las vacas. No, Aznavour no tenía razón, la miseria no es más llevadera al sol.

¿Por qué algunos nacían aquí y otros allí? ¿Por qué algunos tenían todo y otros nada? ¿Por qué algunos vivían y otros, siempre los mismos, solo tenían derecho a callarse y a morir?

—Hemos llegado demasiado lejos —continuó la voz grave—. Nuestras familias confían en nosotros, nos han ayudado a pagar este viaje y ahora esperan que les devolvamos la ayuda. No te avergüences de viajar en un armario, Dhjamal. Tú sabes bien lo que es la impotencia de un padre cuando ni siquiera puede dar un trozo de pan a sus hijos. Por eso estamos aquí, todos, en este camión. Para dar un poco de pan a nuestros hijos.

Se hizo el silencio.

Ese fue el segundo electroshock que recibió el faquir en pleno corazón desde el comienzo de su aventura. No dijo nada. Porque no había nada que decir. Avergonzado de sus motivos egoístas, dio las gracias a Buda por encontrarse a ese lado de la puerta y no tener que mirar al hombre a los ojos.

—Entiendo —consiguió articular el indio, conmovido.

—Ahora te toca a ti, Dhjam'. Me muero por escuchar tu historia. Pero antes te vamos a sacar de ahí para que puedas comer algo y beber un poco de agua. Por tu voz ahogada, las paredes de la caja en la que te encuentras deben de ser gruesas.

No es culpa de la caja…, se dijo el hindú conteniendo las lágrimas.

El faquir no lloró sangre, pero una chapa de plomo bien pesada acababa de desplomarse sobre sus hombros enclenques. Como si ya no se encontrara en el interior del armario, sino debajo, aplastado por el peso de las revelaciones, de los remordimientos, de esta vida que a veces podía mostrarse tan dura e injusta. Y mientras lo liberaban de su prisión metálica, Dhjamal tomó conciencia de que había estado ciego hasta entonces y que existía un mundo bastante más negro e hipócrita que el que le había visto nacer.

La vida no había sido un largo y tranquilo Ganges para él. No había tenido, hablando con propiedad, lo que se podía llamar, en nuestra parte del globo, una infancia demasiado feliz o una infancia modelo. Primero había sufrido la muerte de su madre y el abandono de su padre, luego las agresiones sexuales y la violencia repetida que un niño de rasgos bonitos y un poco follonero atraía sin querer en el ambiente regido por la ley del más fuerte. Había sido catapultado hacia una vida adulta, a la parte más fea y dura, sin pasar por la casilla de la infancia. Al menos había tenido un hogar y, además, gente que lo quería, sus primos, su vecina que lo había educado como a un hijo. No sabía si debía meter a sus fieles en el lote. En realidad, más que quererlo, esa gente lo temía. Era por toda esa gente que nunca había querido dejar su país. Incluso si a veces había tenido hambre, sí, y si había sacrificado su cuerpo para comer, en ese caso su bigote. Por fortuna siempre había conseguido salvar sus manos de la amputación.

Después de todo, un faquir veía la vida en dolores, ¿no? Así que ¿de qué se quejaba?

Mientras las láminas de madera de la caja crujían bajo los golpes de la barra de hierro, Dhjamal imaginó a los africanos saltando como felinos en la noche y subiendo a todos esos camiones en marcha. Mohamed había confesado que también se introducían en los remolques cuando los conductores se detenían en las áreas de descanso de la autopista, por la noche, a ser posible mientras llovía para que el ruido de la lluvia amortiguase sus movimientos. Se los imaginó escondidos detrás de los contenedores, congelados de frío, sin aliento, hambrientos. Pero todos los viajes tenían un fin, incluso los más duros, incluso los más agotadores, y estaban a punto de llegar a buen puerto, aunque Londres fuera más conocido por su aeropuerto. Habían cumplido su misión. Iban a poder buscar un empleo y enviar dinero a sus familias. Y estaba feliz de hallarse con ellos en la línea de llegada, de ser testigo del éxito de su valiente empresa.

—¡Sí, señor! Cuando no se nos da lo que merecemos lo tenemos que coger nosotros mismos. Es un principio que siempre ha regido mi vida —añadió el indio sin precisar que el robo entraba en esta bonita definición.

Acababa de entender que tenía delante de él a los auténticos aventureros del siglo XXI. No eran los navegantes blancos en sus barcos de cien mil euros, con sus regatas, con sus vueltas al mundo en solitario de las que todo el mundo pasaba salvo sus patrocinadores. Ellos no tenían nada más que descubrir.

Dhjamal sonrió en plena oscuridad. Quiso también, al menos una vez en su vida, hacer algo por alguien que no fuera él mismo.

Mustafa, el más pequeño de los sudaneses, había encontrado en el suelo la barra metálica que el traficante había usado para abrir las puertas del camión. Con las prisas, el hombre había debido de olvidarla allí antes de bajar del camión.

Nijam y Basel, los más fuertes, la habían utilizado para forzar las bisagras de la gran caja de madera en la que estaba encerrado el indio, inmigrante ilegal muy a su pesar. Un cuarto de hora después lo habían logrado, descubriendo, a la luz de sus linternas, un gran cartón que contenía un armario metálico de color azul y muy parecido a las taquillas del aeropuerto o de los vestuarios de los equipos de fútbol.

—Me pregunto cómo puedes respirar aún —dijo Mohamed retirando rápidamente el papel de burbujas que envolvía el armario.

Finalmente la puerta se abrió y Dhjamal apareció, espléndido en medio de sus efluvios urinarios.

—¡Son tal y como les imaginaba! —exclamó el indio viendo por primera vez a sus compañeros de viaje.

—Tú no —respondió con franqueza el líder, que quizá se esperaba ver al rajastaní en sari, con una daga colgada del cinturón y agarrando a un elefante de pequeñas orejas con una correa.

Miró un instante al faquir que se mantenía de pie delante de él, un hombre alto y delgado como un árbol seco. Llevaba un turbante blanco un poco sucio en la cabeza, una camisa blanca arrugada y un pantalón de traje gris de seda brillante. También llevaba unos calcetines blancos de deporte. Parecía un ministro al que hubieran metido en la lavadora con ropa. En definitiva, nada que ver con lo que había podido imaginar de un inmigrante ilegal rajastaní, si algún día se hubiera molestado en imaginar cómo sería un inmigrante ilegal rajastaní.

Aun así, lo cogió entre sus brazos y lo apretó fuerte antes de ofrecerle una botella de agua Evian medio vacía y barras de chocolate compradas en cajas de doce en el Lidl de Calais.

Dhjamal, preso del pánico ante la idea de morir deshidratado, agarró la botella y la vació de un solo trago bajo la mirada horrorizada de los africanos.

—Debes de llevar mucho tiempo encerrado… —dijo Kougri sacudiendo la cabeza.

—No sé. ¿Qué día es hoy?

—Martes —respondió el jefe, que era el único que sabía el día en que vivía.

—¿Y qué hora es?

—Las dos y media de la madrugada —respondió Basel, que era el único que llevaba reloj.

—En ese caso, quizá me he apresurado un poco —añadió Dhjamal devolviendo la botella vacía a Mohamed.

Y le arrancó una barrita de chocolate de las manos. Nunca se sabía…

—Bien —dijo el líder—. Ahora que estás aquí con nosotros, que has bebido y comido y, dado que nos quedan dos largas horas, en el probable caso de que este camión vaya a Londres, vas a contarnos tu historia, Dhjam'. Desde el principio. Tengo ganas de saber quién te ha empujado a hacer este viaje, incluso si tus razones no son muy diferentes de las nuestras.

Su voz se había dulcificado, como si el confesarse hubiera creado entre ellos un lazo invisible, el comienzo de una amistad que nada podía romper. Salvo la verdad, pensó el indio mordiéndose el labio superior. ¿Qué podía contarle a su nuevo amigo? Si su pueblo le estaba financiando el viaje era porque él los engañaba y les robaba desde hacía años. ¿Cómo podía confesarle que su último truco había sido fingir tener reúma y una hernia discal para que le pagasen ese viaje y esa cama de clavos que revendería por un buen precio en su país? ¿Cómo confesarle eso a un hombre que ha sufrido a cada segundo de su agotador e incierto viaje?

Dhjamal se sorprendió rezando. ¡Buda, ayúdame!, suplicó en su mente mientras el inmenso negro esperaba. Fue más o menos en ese momento cuando el camión frenó en seco y las puertas se abrieron.

La primera cosa que Dhjamal vio de Inglaterra fue un manto de nieve blanca en la noche negra. La escena tenía algo de irreal, sobre todo en verano. No le habían mentido, hacía realmente frío en ese país. Después de todo, el Polo Norte se encontraba a solo unas latitudes de allí.

Sin embargo, acercándose a las puertas abiertas, el indio se dio cuenta de que la temperatura era bastante buena para una noche de verano en el Ártico. Y lo que al principio había tomado por copos de nieve no eran más que las perlas de poliestireno que se escapaban del embalaje de su armario transportadas por la corriente de aire.

El hombre puso la mano delante de sus ojos a modo de visera. Estrellas cegadoras, que no tardaron en convertirse en faros de coche, estaban apuntándole.

Al volverse, tomó conciencia de que se había quedado solo y de que los sudaneses, como si fueran más sensibles a la luz que él, se habían precipitado detrás de las cajas de madera, desapareciendo totalmente y dejándolo bien a la vista.

—¡Salga lentamente del vehículo! —gritó una voz autoritaria en un inglés bastante mejor que el suyo y que el de los africanos—. ¡Y ponga las manos sobre la cabeza!

El indio, que no tenía nada que ocultar, hizo lo que le pedían sin decir nada y saltó del remolque. Allí se encontró cara a cara con un individuo que llevaba un gran turbante blanco como el suyo. Por un momento pensó que le habían puesto un espejo delante, pero no hacía falta ser un as del juego de las siete diferencias para darse cuenta de que no lo era. El hombre iba cuidadosamente afeitado, al contrario que Dhjamal, que tenía un gran bigote fino y una barba de tres días. Además, llevaba un espeso chaleco antibalas negro con las siglas UKBA en grandes letras blancas. El faquir ignoraba lo que significaba UKBA, pero la pistola que colgaba del cinturón del hombre ya era una buena pista. Creyó entonces oportuno dejar caer la excusa que había preparado la víspera al meterse en el armario. Rebuscó en su bolsillo, sacó el lápiz de Ikea y el metro de papel para ilustrar su declaración, todo en punyabí.

—Claro, claro —respondió en el mismo idioma el policía, visiblemente acostumbrado a encontrar a diario inmigrantes ilegales en armarios de Ikea provistos de un metro de papel y un lápiz.

A continuación le empujó hacia un lado, le cacheó cada miembro del cuerpo a través de la ropa, minuciosa pero firmemente, antes de ponerle las esposas mientras cuatro de sus colegas, salidos de la nada, subían al remolque con marcha militar.

Los hombres volvieron a bajar enseguida acompañados de seis sudaneses, las manos atadas con bridas, esas correas de plástico con las que los jardineros atan los árboles a postes para que crezcan bien derechos.

—Y tú ¿qué haces con africanos? —preguntó el policía, atónito, en punyabí.

El faquir no supo qué responder. Con el miedo en el estómago, se contentó con mirar a sus acompañantes, que subían en un furgón con las siglas UKBA, United Kingdom Border Agency,* antes de ser también empujado violentamente al interior. Acababa de experimentar lo que su amigo llamaba el «síndrome del corazón que late fuerte cuando el camión frena y luego se para». Los «bonitos países» acababan de darle la bienvenida a su manera. Mohamed tenía razón, nunca se sabe con quién vamos a toparnos, pero esta vez la Cruz Roja no parecía estar en la partida.

* La agencia nacional británica encargada del control de fronteras.

En la celda abarrotada, Dhjamal se enteró por un albanés en chándal y sandalias que se encontraba en Folkestone, Inglaterra, a unos minutos a pie de la salida (o de la entrada, dependiendo en qué sentido se circule) del Eurotúnel. También se enteró de que no, de que no había ningún Ikea cerca y que sí, que estaba en apuros.

El indio miró a su alrededor. Estaban todos ahí, los hombres a los que nadie quería en ningún sitio. El viaje para Mohamed y sus amigos había tenido un final, pero no el esperado. Tal y como se había prometido, el faquir había estado con ellos en la línea de llegada, pero no había sido testigo del éxito de su valiente empresa como creía cuando, oculto en su armario, sus nuevos amigos de fortuna lo habían liberado, por solidaridad, de su prisión de metal y del papel de burbujas y le habían dado de comer y de beber. Alguien debía de haber mezclado las fichas de Buda. ¡Ese no podía ser el destino de aquellos valientes hombres! El cielo debía de haberse equivocado, no les había enviado el comité de bienvenida adecuado.

Dhjamal cruzó una mirada triste con Mohamed, que,

sentado sobre un banco de cemento entre dos imponentes norteafricanos, parecía haber encogido. Sus ojos parecían decirle «No te preocupes por nosotros, Dhjam'».

Mientras el faquir se colaba entre los detenidos, que formaban un encantador mosaico de colores, acentos y olores con chándal y sandalias, y se acercaba a su compañero de viaje para intentar reconfortarle, el policía indio que lo había arrestado una hora antes y que se hacía llamar «oficial Simpson» abrió la puerta del calabozo detrás de la que retenían a todos los prisioneros como peces en una pecera sin agua y se lo llevó a su despacho.

—¡Vas a pasar un mal rato! —le soltó el albanés, para el que ya era la décima tentativa de pasar hacia Gran Bretaña.

Pero confiando en que su buena fe y la comprensión del policía, que después de todo tenía su misma sangre, disiparían de una vez por todas ese terrible malentendido, Dhjamal siguió con paso feliz a su compatriota.

—Que quede claro, no soy compatriota tuyo —dijo Simpson, esta vez en inglés, como si hubiera leído los pensamientos del faquir.

Después lo invitó a tomar asiento.

—Soy ciudadano británico y funcionario encargado de la seguridad del gobierno. No soy tu amigo —añadió por si acaso albergaba alguna duda—, y aún menos tu hermano o tu primo.

Se cree más papista que el Papa, se dijo Dhjamal dándose cuenta de que su buena fe y la comprensión del policía seguramente no servirían para disipar el terrible malentendido. Si estás aquí es gracias a que tus padres un día viajaron en el remolque de un camión entre cajas de fresas españolas y coles de Bruselas, pensó el indio, evitando compartir su sentimiento con el interesado. Tus padres probablemente vivieron ese miedo que asalta el estómago cada vez que el camión frena y se detiene.

Ajeno a sus pensamientos, el policía tecleó algunas palabras en su ordenador y levantó la vista.

—Ahora vamos a retomarlo desde el principio y me lo vas a explicar todo.

Le preguntó su nombre, el de sus padres, la fecha y el lugar de nacimiento y su profesión. Se extrañó de la última respuesta.

—Vaya, faquir…, ¿todavía existe eso? —dijo con un gesto de escepticismo y desprecio.

Acto seguido le señaló con un dedo inquisidor la bolsita transparente precintada que se hallaba sobre la mesa.

El indio reconoció enseguida sus objetos personales.

—Se trata de tus pertenencias. Comprueba si está todo y firma.

El policía dio al detenido una hoja en la que quedaba constancia de cada objeto que habían encontrado con él:

- 1 tarjeta de visita de Taxis Gitanos de la región parisina.
- 1 envoltorio de chicle sobre el que está escrito «Marie» y un número de teléfono móvil francés.
- 1 pasaporte indio auténtico con un visado de corta estancia para la zona Schengen, también auténtico, expedido por la embajada de Francia en Nueva Delhi. Tampón de entrada del 4 de agosto en el aeropuerto Roissy-Charles-de-Gaulle, Francia.
- 1 página del catálogo de Ikea con el anuncio del modelo de cama de clavos Misklavospikån.

- 1 cinturón imitación cuero.
- 1 par de gafas de sol de la marca Police en seis trozos.
- 1 billete falso de 100 euros de mala calidad impreso por una sola cara y sujeto a veinte centímetros de hilo transparente.
- 1 billete de 20 euros (auténtico).
- 1 lápiz de madera y una regla de papel de un metro de la marca Ikea.
- 1 moneda de 50 centavos de dólar con dos caras idénticas.

—¿Por qué me han quitado el cinturón? —preguntó el indio, intrigado.

—Para que no te ahorques con él —respondió secamente el oficial Simpson—. Quitamos también sistemáticamente los cordones, pero tú no tenías. De hecho, ¿puedo saber por qué no llevas zapatos?

El faquir se miró los pies. Sus calcetines de deporte ya no eran muy blancos.

—Porque se quedaron en el salón de Ikea, anoche, en el momento en el que me tuve que esconder en el armario para que los empleados no me vieran…

Acostumbrado a descubrir, desde hacía nueve años, a inmigrantes ilegales en los escondites más improbables y escuchar sus necedades noche y día, el oficial Simpson, igual que el líder de los sudaneses ilegales un poco antes, no creyó una sola palabra de la historia de Dhjamal.

—Bueno, puesto que no pones de tu parte, te lo voy a explicar brevemente: hemos encontrado que tus amiguitos, los Jackson Six, llevaban varios elementos que nos permiten afirmar que habéis estado en Barcelona. Con el buen tiempo que siempre hace allí, realmente nos preguntamos por qué venís a joderos a Inglaterra. Sabes que aquí siempre llueve, ¿no? Comparado, el monzón no es nada...

—Oiga, comprendo que quiera desanimarme y le agradezco que me dé todas estas informaciones útiles sobre el clima de su encantador país al que sería un placer volver en otras circunstancias más turísticas y menos desafortunadas, pero le aseguro que nunca quise venir a Inglaterra y que no conozco a esos sudaneses.

—¿Sudaneses? ¡Vaya! —exclamó el policía, orgulloso de haber pillado al delincuente en flagrante delito de mentira—. Ya sabes más que yo. Tus amiguitos no han dicho nada en el interrogatorio. Se han negado, incluso, a decirme su nacionalidad. De todas formas estamos acostumbrados. La mayoría de los inmigrantes ilegales destruyen o esconden sus pasaportes para que no podamos identificar su nacionalidad y devolverlos a su país de origen.

—Yo le he dicho de dónde vengo. Eso demuestra que no soy un inmigrante ilegal.

—Tu visado solo es válido en la zona Schengen, sin embargo te recuerdo que Inglaterra no pertenece (¡y no pertenecerá nunca!) a Schengen. Por lo tanto, eres un inmigrante ilegal. Llámalo como quieras.

Cansado, el indio explicó de nuevo las razones de su viaje a Francia, su idea (no demasiado brillante, si lo hubiera sabido) de dormir en Ikea para estar allí al día siguiente y comprar su cama de clavos, el modelo Misklavospikån especial faquir de auténtico pino sueco, con altura de clavos (inoxidables) ajustable, color rojo puma. Precisó que había hecho el pedido ayer, del que seguramente quedaría constancia en algún sitio y que harían bien en confirmarlo con el personal de Ikea en París.

Diciendo esto, apuntó hacia sus pertenencias, pero se dio cuenta de que el papel del pedido de Ikea que le había dado el gordito con gafas se hallaba en la chaqueta del traje, que se había quedado en la tienda.

El oficial Simpson resopló.

—Bueno, mira, ya he oído suficiente. Te voy a acompañar a la celda y la gente del departamento de Repatriación vendrá a buscarte por la mañana temprano para llevarte al aeropuerto.

—¿Al aeropuerto? Pero ¿adónde me envían? —preguntó Dhjamal con pánico en su mirada.

—Te mandamos al lugar de donde vienes —dijo el policía como si fuera evidente—. A ti y a tus compañeros os mandamos a Barcelona.

Habían encontrado en los bolsillos de los sudaneses unos tíquets de caja de El Corte Inglés de Barcelona, donde habían comprado seis latas de cerveza, un paquete de cacahuetes y dos cajas de galletas de chocolate. No les había hecho falta nada más a los agentes británicos de la UKBA para repatriar a los maleantes, en virtud de los acuerdos internacionales de readmisión, al último país de estancia documentado de los inmigrantes ilegales, en este caso España.

Así, algunos eran devueltos al país de procedencia en aplicación de la Convención de Chicago y otros, menos frecuentemente, a su país de origen. Vuelta a la casilla de salida.

En este caso, los policías sabían pertinentemente que el camión que habían inmovilizado venía de Francia, puesto que lo habían cogido a la salida del Eurotúnel. Solo por eso podrían haber reenviado a los inmigrantes a comer sus cacahuetes y sus galletas de chocolate al país de los comedores de ancas de ranas, cuya frontera era un verdadero colador. Habrían tardado, máximo, una hora y no les habría costado nada, o casi nada.

No obstante, una repatriación a España, incluso si era más cara para el Estado, representaba una ventaja mayor para las autoridades inglesas, que desde hacía un tiempo intentaban enviar a los inmigrantes ilegales, siempre que pudieran, lo más lejos posible de sus fronteras puesto que sabían que estos intentarían regresar cuanto antes al Reino Unido una vez libres. Si hubieran podido construir una catapulta gigantesca con un alcance de miles de kilómetros, los habrían metido a todos dentro sin dudarlo ni un solo segundo.

—Un avión fletado para la ocasión por la policía aeronáutica de la Corona te va a repatriar a Barcelona —dijo el policía antes de terminar de tomarle declaración.

Fue así como el faquir se encontró unas horas después, mientras el sol despuntaba ya por el horizonte, sobre la ventosa pista del pequeño aeródromo de Shoreham-by-Sea, en la costa sur de Inglaterra, cerca de Brighton.

Mirando bien se podía percibir, al otro lado del Canal de la Mancha, el perfil sutil y azulado de la tierra de los galos.

El agua azulada.

El cielo azulado.

Las gaviotas azuladas.

Las cabezas de los inmigrantes ilegales azuladas.

En fin, es lo que veía Dhjamal a través de los cristales azulados de sus gafas de sol, que había recompuesto. Se las habían devuelto con el resto de sus efectos personales, puesto que, por una parte, ya no representaba ninguna amenaza para él ni para los otros y, por otra parte, pronto estaría libre. Incluso le habían devuelto el billete falso de 100 euros, considerando que era tan malo que no podría engañar a nadie con él. Si supieran…

Ahora, el faquir estaba sentado, sin esposas, entre un marroquí asmático y un paquistaní flatulento. Picado por la curiosidad de saber en qué nuevo avispero se iba a meter y con el fin de pasar el tiempo, el indio hizo un montón de preguntas sobre Barcelona a sus vecinos. ¿Qué había que ver? ¿Qué se podía hacer? ¿Se podía uno bañar en esa época del año? ¿Había monzón? Ah, y ¿había un Ikea?

Pero todas esas preguntas quedarían sin respuesta. No porque los dos «sinpapeles» no tuvieran ganas de responder, más bien al contrario, sino porque ninguno de ellos había puesto el pie, ni siquiera el final de la punta de la extremidad del dedo pequeño del pie, en Barcelona ni en ninguna otra ciudad española.

El paquistaní había llegado a Europa a través del aeropuerto de Bruselas provisto de un pasaporte belga falso, antes de alcanzar Inglaterra escondido en un camión, entre dos cajas de coles. Pero habían encontrado un abanico sobre él (no soportaba el olor a col) y a los chicos de la UKBA no les había hecho falta nada más para decretar que el inmigrante clandestino venía de España, porque era mundialmente conocido que solo los españoles usaban aún este pequeño ventilador manual.

El marroquí había entrado en la zona Schengen a través de Grecia después de haber hecho el gran tour de la cuenca mediterránea. Luego había atravesado los Balcanes, Austria y finalmente Francia, escondido en el falso suelo de un autobús de turistas griegos. Mala suerte, los ingleses habían encontrado en su bolsillo una pequeña cuchara de madera cuyo mango se había roto durante el periplo. Un agente británico recientemente llegado de sus vacaciones en Sevilla lo había reconocido como un trozo de castañuela y el destino del magrebí había sido, así, sentenciado. ¡Hala, de vuelta a España!

—¿Y tú? —preguntó el paquistaní—. ¿Qué han encontrado de ti?

—Nada —respondió Dhjamal encogiéndose de hombros—, solo me han pillado en un camión de mercancías con unos sudaneses que venían de Barcelona.

Se giró señalando a los seis negros de la cuarta fila.

—Si lo he entendido bien, ninguno de nosotros tres viene de Barcelona —añadió el marroquí.

—Yo creo que en este avión no somos los únicos —completó el paquistaní.

—Si solo basta con ser detenido con una guitarra o un bigote para que los ingleses sospechen que venimos de España, entonces seguro que no somos los únicos en esta situación…

Señaló discretamente a un hombre, en la misma fila que ellos, con un espeso bigote moreno y un sombrero de fieltro negro.

—¡Amigos míos, tomad esto como un viaje turístico gratuito a cargo de la reina! —lanzó una voz con un pronunciado acento ruso detrás de ellos—. ¡A mí me han metido en este avión porque pronuncio las erres!

Sonaron las ocho de la mañana en un despertador oxidado en algún lugar entre la basura del vertedero municipal junto al que se había instalado la familia Palourde.

A estas horas, debe de estar en Inglaterra…, se dijo Gustave sentado a la mesa de camping, a leguas de imaginarse que el objeto de su pensamiento se encontraba en ese momento a seis mil metros de su cabeza, en un avión que volaba a gran velocidad hacia el sur, entre un marroquí asmático y un paquistaní flatulento.

Mientras decía eso, acariciaba la hoja afilada de su navaja. Su único consuelo era que el payo viajaba en el remolque de un camión, encerrado en una caja de madera, sin agua ni comida. Con un poco de suerte, el destino y sobre todo la sed acabarían con él, como una rata prisionera en una trampa. ¡Qué pena!, le hubiera gustado tanto ajustarle las cuentas él mismo… haciéndole sufrir lentamente, muy lentamente.

Entonces, algo se movió en la caravana.

Su mujer, Mercedes Shayana, asomó por la puerta con una bata floreada. Después apareció Miranda Jessica, con el pelo como una leona y con la cara embadurnada de maquillaje.

—¡Anoche volviste a salir! —dijo Gustave a su hija amenazándola con un dedo cargado de reproches—. Te dije que te quedaras en casa (caravana) a descansar. ¡Mira la pinta que tienes ahora!

—No pasa nada, mientras Kevin Jésus no me vea así. Y, además, dormiré en el avión.

—¡Ah, el guaperas de Kevin Jésus! —dijo el padre en tono irónico—. Creía que habías cortado con él.

La hija bostezó como única respuesta.

—Te repites, Gus, déjala un poco tranquila.

La madre acababa de sentarse a la pequeña mesa de camping y se servía el café que había preparado su marido al levantarse. Colocó el termo y le preparó una tostada a su hija, que se sentó a su lado.

—Bueno, ya está bien, ¡poneos las pilas si no queréis perder el avión! —soltó el taxista levantándose para ir a calentar el motor de su coche.

Como un rito invariable, dos veces al año, Gustave Palourde, su esposa y su hija dejaban la casa familiar (la caravana) para irse de vacaciones. La primera era en ocasión de las fiestas gitanas de Saintes-Maries-de-la-Mer. Cada 24 de mayo desde la Edad Media, los gitanos se reunían en La Camarga para celebrar su santa patrona, Sara, acompañando a su estatua de cera que llora lágrimas de oro desde la iglesia hasta la orilla del mar. Más que un peregrinaje, la concentración les permitía volver a ver a los amigos de la diáspora dispersa por las cuatro esquinas del mundo. Algunos recorrían más de tres mil kilómetros para participar en el evento. La familia Palourde viajaba durante siete horas en su taxi preparado para la ocasión. Desde hacía unos años, iban sin la caravana (la casa) y se alojaban con primos que habían perdido de vista durante la infancia y reencontrado más tarde.

Para los padres, era un acontecimiento que no podían perderse. Lo esperaban todo el año. Para la hija, al contrario, era un suplicio, primero porque debía dejar a su enamorado del momento y tenía miedo de que, en su ausencia, encontrara a una más guapa que ella, incluso si ninguna gitana era más guapa que ella. Además, porque las procesiones de millares de gitanos vestidos de negro, llorando y gritando bajo el peso de una estatua de varios cientos de kilos no era forzosamente el tipo de actividad con la que soñaba una joven de su edad. Encima, los vestidos largos y negros y los velos no le iban nada. Nunca le había gustado el estilo de Madonna, prefería de lejos el de Lady Gaga, más vistoso y desfasado. Su único consuelo era ir a la plaza de toros por la tarde y ligar con los jóvenes que participaban en el «Toro-Piscina» o en el concurso de toros con cuernos embolados.

El segundo evento del año era en verano, a principios de agosto. Es decir, ahora. Gustave cogía una semana de vacaciones y se iban todos a Barcelona en avión a gastar el dinero ganado honestamente hasta entonces. Allí tenían una auténtica casa de ladrillo que había pertenecido a un tío abuelo que, al llegar al final de sus días, había dejado de soportar la humedad de las caravanas.

A Barcelona, Miranda Jessica no iba a regañadientes. Discotecas y chicos guapos no era precisamente lo que faltaba en la ciudad catalana. Se sabía los sitios de moda de memoria, la plaza Real, el barrio Gótico y el genial Puerto

Olímpico donde pasaba las noches meneándose al son de su música preferida.

Esa era la razón por la que era impensable perder el avión. La joven se tomó su vaso de leche con chocolate en menos que canta un gallo y fue a cambiarse a la caravana. Se embutió en un short vaquero desgastado de una decena de centímetros cuadrados, se puso la parte de arriba de un biquini amarillo, se subió a unos zapatos de quince centímetros de tacón y decorados con brillantes y salió así vestida, con un gran bolso colgado del brazo. Se ducharía por la tarde, en la playa de la Barceloneta.

Su madre haría igual. Y como para ella era inconcebible salir sin maquillarse, Mercedes Shayana se echó una base de maquillaje sobre la cara, se embadurnó las pestañas de rímel y se aplicó una buena capa de lápiz de labios fucsia. No se quitó la bata de flores, la encontraba muy estival, española y, por lo tanto, muy adecuada para la ocasión. Solo se puso unos pantalones de chándal de licra rosa y unas sandalias de playa.

—¡Qué abanico de bellas mujeres! —exclamó Gustave metiendo el equipaje en el maletero del coche.

Luego se instaló al volante, haciendo crujir con su peso las pequeñas bolitas de madera que cubrían su asiento.

Dieron las ocho de la mañana en el campanario de la iglesia situada enfrente de la comisaría. No parecía pleno corazón de París.

A estas horas debe de estar en Inglaterra…, se dijo la comandante Alexandra Lidiote sentada en su despacho.

No pensaba pedir al juez una orden de arresto internacional por el asunto del timo de los 100 euros. Pasaría por tonta. Y ya saben cómo lo detestaba. Hubiera preferido poner los 100 euros de su bolsillo y conservar su dignidad.

La agente cerró entonces el expediente de Gustave Palourde de Taxis Gitanos y lo echó al cementerio de archivos cerrados, un gran cajón parecido al de las farmacias donde morían otros ciento cincuenta expedientes dignos de desaparecer de la faz de la Tierra. Luego se levantó y fue al encuentro de sus compañeros en la máquina de café.

Al pasar por delante del espejo de la sala de interrogatorios, pensó que había envejecido de repente. Grandes ojeras subrayaban sus ojos como dos paréntesis que ya no tienen fuerza para mantenerse de pie. Este trabajo está acabando conmigo, se dijo. Necesito unas vacaciones.

Al pasar por delante de los grandes ventanales de llegadas del aeropuerto de Barcelona, Dhjamal pensó que había envejecido de repente. Grandes ojeras subrayaban sus ojos como dos paréntesis que ya no tienen fuerza para mantenerse de pie. Este viaje está acabando conmigo, se dijo. Necesito una buena cama.

Ya no tenía nada de rico empresario indio. Tenía, más bien, el look ajado de un inmigrante clandestino y comprendió ahora por qué el policía que lo había interrogado no había creído su historia de Ikea. En su lugar, él hubiera hecho lo mismo.

El gran reloj digital del hall indicaba las doce en punto. Indicaba, sobre todo, la libertad. Los servicios de inmigración españoles acababan de controlar sus papeles tras la entrega de los inmigrantes por parte de los escoltas británicos y, como no tenían nada que reprocharle, lo habían acompañado a su pesar, con otros tres pasajeros afortunados, hacia la salida más cercana.

El reloj indicaba igualmente que, a esa hora, Dhjamal tendría que estar en el aeropuerto Roissy-Charles-de-Gaulle, a unos cuantos miles de kilómetros de allí, esperando el vuelo que debía devolverle a la India con una cama de clavos nueva bajo el brazo.

Pero todo esto pertenecía a su antigua vida.

Caminando por la flamante terminal T1 en dirección a la zona de recogida de maletas, pasaje obligado para salir incluso si no se tiene maleta, el indio se juró que a partir de entonces no haría nada ilegal. Volvió a pensar en lo que Marie le había dicho. «Es bueno encontrar a gente sincera y auténtica como usted. A personas que hacen el bien y lo propagan a su alrededor.» Y pensó en las confesiones de Mohamed, el líder de los Jackson Five sudaneses a quien acababa de dejar en la zona de control con Kougri, Basel, Mustafa, Nijam y Amsalu (no tenían papeles y se quedarían allí un buen rato). Acababan de despedirse con fuertes abrazos y se desearon mutuamente buen viaje. *Mektoub*, había dicho Mohamed. Estaba escrito. Teníamos que encontrarnos.

Iban a intentar pasar otra vez al Reino Unido. Creían en su tierra prometida como los primeros colonos creyeron en América cuando otearon la costa en el horizonte. Subirían por España, atravesarían Francia y se quedarían en Calais a la espera de un pasaje, escondidos entre cajas de rosbif o de coles.

—Y tú, ¿qué vas a hacer? —le preguntó.

—¿Yo? Aún no lo sé. Visitar Barcelona, ya que estoy aquí. Aunque no tengo ni un céntimo.

Evitó decirle a su amigo que había decidido convertirse en alguien de bien, que su historia le había cambiado, que deseaba tener también alguien a quien ayudar y a quien dar.

Guardó también para sí sus pensamientos sobre Marie y los proyectos que nacían en su cabeza.

Aunque pareciera increíble, fue cuando tenía estos bellos pensamientos de amor, compasión y fraternidad cuando nuestro faquir se encontró cara a cara con el taxista parisino al que había timado la víspera a miles de kilómetros de allí. Iba del brazo de lo que parecían dos prostitutas y lo miraba con unas ganas locas de matarlo.

La primera cosa que hizo Gustave Palourde al tropezar con el indio fue mirarlo con unas ganas locas de matarlo.

—¡Payo, sabía que te volvería a ver algún día!

En ningún momento el taxista se sorprendió de ver al indio allí, en Barcelona, aunque tres horas antes lo había imaginado en Inglaterra aún encerrado como una rata en el remolque de un camión camino de las más altas latitudes del planeta. Impulsivo por naturaleza, su ira sobrepasaba a menudo su lógica y sus facultades de analizar los acontecimientos.

No había necesidad de ser el rey de los mentalistas, aunque Dhjamal destacaba en esa disciplina, ni de hablar francés (en este caso, el francés de un gitano enfadado) para comprender que nuestro faquir no debía permanecer eternamente por la zona. Pero no tuvo tiempo de esbozar el más mínimo gesto.

—¡Te voy a matar! —gritó Gustave, que quería matarlo.

Dicho esto, le lanzó a la cara la nevera de playa que acababa de recuperar de la cinta transportadora.

—¡Me encantan sus piercings! —exclamó a la vez su hija, a la que nunca habían dejado llevar uno.

—¿Quién es? —preguntó simplemente su mujer, que nunca antes había visto a aquel hombre con turbante, la cara atravesada por un bigote, alto y delgado como un árbol seco.

Pero, entendiendo rápidamente que no era un amigo de la familia, se unió a su marido en un arrebato de valentía y estampó su bolso de cocodrilo en piel de vaca bien lleno contra las costillas del desconocido.

Dhjamal, sorprendido por el ataque relámpago de esos Gipsy Kings domingueros, no pudo evitar que la nevera de playa de siete kilos cayera sobre su mejilla ni la mordedura de un cocodrilo en el costado. De naturaleza enclenque, fue despedido como una pluma por un golpe de viento sobre la cinta con maletas procedentes de Mallorca. Durante un instante permaneció recostado, más por estrategia (la de hacerse el muerto) que por dolor (aunque…), entre un cochecito de bebé y una montaña de ensaimadas. Pero cuando abrió los ojos, con disimulo, por si acaso el gitano solo esperaba eso para asestarle otro golpe de nevera en la cara, el indio se dio cuenta de que se había hecho demasiado el muerto.

Como en *Alicia en el País de las Maravillas*, el faquir había pasado al otro lado del espejo, en fin, al almacén de maletas. La máquina que vomitaba las bolsas lo había tragado como un vulgar equipaje que ya ha dado la vuelta mil veces en la cinta y que nadie quiere.

Un terrible dolor le desgarró la cara.

Se acarició la mejilla delicadamente. Una multitud de minúsculos cristales de hielo habían surgido, sin duda, de la nevera en el momento del impacto, yendo a alojarse en las cicatrices del acné virulento que había devastado su cara en la adolescencia.

Tenía la mitad izquierda de la cara congelada, casi como si hubiera recibido un golpe de nevera en la cabeza, lo que era el caso, o un golpe de plancha que se ha quedado olvidada demasiado tiempo en una cámara frigorífica, lo que en sí, hay que reconocerlo, es una comparación bastante rara.

¡Maldita sea!, pensó de repente. Ahora que había conseguido huir del loco y sus tigresas, lo peor estaba quizá por llegar.

Se encontraba en el área de seguridad, y por tanto prohibida, de un gran aeropuerto europeo, lo que no era lo mejor para mantener su promesa de ir por el buen camino.

Si en aquel momento hubieran pasado unos policías, se habrían topado con un Aladino de pacotilla que había canjeado su alfombra voladora por una alfombra transportadora de maletas. Y si fueran tan competentes y eficaces como sus homólogos ingleses, una vez pasado el asombro, Aladino se hubiera encontrado, antes de decir esta boca es mía y según los mismos acuerdos internacionales de readmisión que lo habían enviado allí, en algún lugar del mundo entre el Polo Norte e Islandia por la simple razón de que le habrían encontrado pequeños cristales de hielo pegados en las mejillas.

Así que, igual que un criminal que desea borrar las huellas comprometedoras, el faquir se frotó vigorosamente la cara con la manga de la camisa mientras la alfombra continuaba transportándolo, imperturbable, hacia las tripas del almacén.

Tom Cruise Jesús Cortés Santamaría llevaba cinco minutos mirándose en el retrovisor de su pequeño coche de golf pintado de rojo y amarillo, los colores de la compañía aérea Iberia.

A pesar de sus veintiocho años, encontraba que había envejecido de repente. Grandes ojeras subrayaban sus ojos como dos paréntesis que ya no tienen fuerza para mantenerse de pie. Este trabajo temporal está acabando conmigo, se dijo. Necesito un contrato indefinido.

Mientras se dirigía al depósito de equipajes, se le acercó a grandes pasos un hombre con una nevera en la mano. Iba acompañado de una mujer que llevaba una bata floreada y que parecía recién salida de la ducha y por una joven con la misma pinta de aquellas profesionales que a veces veía en el arcén de la carretera cuando iba al trabajo.

—Señor, la máquina se ha tragado mi maleta —dijo el hombre en un buen español pero con un ligero acento francés.

Decidido a no dejar escapar al indio en aquella ocasión, esa era la única excusa que se le había ocurrido a

Gustave para pasar a la zona de seguridad del almacén. Su barriga cervecera y su forma física le impedían deslizarse sobre la cinta y coger el mismo camino que su enemigo.

—Espere un poco, volverá a salir —respondió el encargado del equipaje, cansado de dar siempre respuesta a las peticiones estúpidas de los pasajeros cuando tenía la mala suerte de encontrarse a ese lado de la terminal—. La cinta da la vuelta.

—Lo sé, lo sé…

—Entonces, si lo sabe…

—¡Sí, pero el problema es que a la niña le está dando una hipo! —improvisó el taxista parisino viendo que su plan A no había funcionado.

—¿Una hipo? No es muy amable decir de una chica tan guapa que se parece a un hipopótamo…

Halagada, Miranda Jessica esbozó una sonrisa y bajó la cabeza, roja como un tomate. El joven español estaba muy guapo con su mono de trabajo. Casi más que Kevin Jésus.

—¡Una hipoglucemia! —corrigió el gitano con aire de catástrofe—. ¡Mi hija es diabética! ¡Tiene que inyectarse glucagón enseguida para aumentar su nivel de azúcar en sangre! Y el glucagón está en la maleta.

Mientras el joven se preguntaba qué era esa historia del cagón que había en la maleta, Gustave sonreía satisfecho de haber sacado provecho por fin de algún episodio de *Urgencias*, su serie americana favorita.

—No parece que esté tan mal —replicó el maletero, que no había perdido su pachorra a pesar de la gravedad de la situación.

Gustave dio un codazo a Miranda Jessica, que levantó la cabeza adoptando un aire de lo más sufrido.

—Ok, ya voy —se resignó el joven, que tardaría menos yendo que quedándose allí discutiendo.

Y además la chica era mona.

Arrancó el coche.

—Le acompaño. No sabe cuál es la maleta —añadió Gustave, no sin razón, dejando la nevera en el suelo y depositando su enorme trasero en el asiento del pasajero.

Tom Cruise Jesús Cortés Santamaría consideró por un instante a la persona que estaba a su lado. Era un hombre pequeño de unos cincuenta años, vestido con un pantalón negro de pinzas barato y una camisa del mismo color. De su cuello se escapaban una gruesa cadena de oro (de las que se usan para amarrar los yates) y una moqueta de largos pelos canosos. Si no hubiera sido por la nevera y por el aspecto de sus dos acompañantes, el joven habría apostado que el francés se dirigía a un entierro.

Pero ahora estaba claro.

—¿Eres gitano, hermano? —preguntó casi seguro de acertar.

—¡Hombre, claro! —respondió Gustave, como si fuera una evidencia, agitando sus dedos rechonchos repletos de anillos de oro—. Soy gitano, sí.

—¡Cómo no lo has dicho antes! —lanzó Tom Cruise Jesús Cortés Santamaría, de repente revitalizado, agitando también sus largos dedos repletos de sellos de oro, como si fuera un signo de reconocimiento secreto entre ellos.

Después aceleró su bólido por la terminal. Cuando se trataba de salvar a una joven gitana, no se hacía de rogar.

P icado por la curiosidad, Dhjamal había abierto una de las misteriosas cajas de cartón que se encontraban delante de él sobre la cinta y en la que había escrito, en bonitas letras rojas y doradas, ENSAÏMADA MALLORQUINA.

Para su sorpresa, se trataba de una especie de brioche enorme en forma de caracol o de peinado de la princesa Leia, de una circunferencia de más o menos un disco de vinilo de treinta y tres revoluciones por minuto.

Le dio un mordisco y la encontró deliciosa. Por fin algo que comer. El bizcocho estaba un poco harinoso y pastoso, pero se arreglaba bebiendo un poco de agua. El problema era que no tenía.

Mientras se preguntaba cómo la gente podía facturar montañas de brioches como si fueran vulgares bolsas y cómo los chicos de las maletas podían cargarlas en los aviones sin comerse uno o dos por el camino, oyó el ronroneo de un coche que se acercaba.

Con un rápido movimiento, saltó de la cinta. Justo a tiempo, puesto que esta se disponía a volver al interior de la terminal, donde le esperaba sin duda el parisino y su nevera asesina.

Un vistazo a la izquierda, un vistazo a la derecha. Nada. Nada salvo ese baúl de cuero marrón, tan grande como un frigorífico, que pasaba a unos metros de él sobre una cinta que se deslizaba en otra dirección. Dicho y hecho, se precipitó encima. Por suerte no había candados. Corrió la cremallera sin dejar de mirar por encima de su hombro. Un pequeño coche rojo y amarillo iba hacia él. El conductor y el pasajero, a los que no se les veía muy bien la cara, parecían no haberle visto.

El interior del baúl era un armario portátil lleno hasta reventar de ropa. ¡Un ropero!, se dijo Dhjamal con una chispa de incredulidad en los ojos. Con grandes manotazos arrancó las prendas colgadas de las perchas y las tiró detrás de la cinta. Había vestidos elegantes, lencería fina y numerosos estuches de maquillaje de lujo. Sin duda, de una persona importante, o rica, o ambas cosas a la vez.

El faquir se deslizó en la maleta, con la mitad de una ensaimada en la mano, por si acaso, y se encerró en ella. Nunca había estado en un baúl tan grande en su vida y, por una vez, no tuvo que dislocarse el hombro como tenía por costumbre cuando se disponía a meterse en su caja mágica. Respiró. Al menos esta nadie la atravesaría con largas espadas afiladas. En fin, si el francés no lo pillaba, claro…

Mientras la plebe, igual que un ciempiés en bermudas y sandalias, continuaba pasando entre las butacas y tomaba asiento en el interior del avión, Sophie Morceaux, que había embarcado la primera, ya daba sorbitos a una copa de champán barato en la segunda fila.

Un italiano que pasaba a su altura hablando fuerte y agitando el aire hizo que una minúscula partícula de polvo entrara en el ojo, de color verde, de la bella actriz. La irritación le hizo perder la lentilla, que pronto desapareció en la jungla de la moqueta azul del suelo.

La joven permaneció unos minutos de rodillas, entre dos asientos, rascando las fibras de lana con sus largos y finos dedos, hasta que una azafata se le acercó para ayudarla. Pero el resultado no fue mejor y Sophie Morceaux tuvo que adaptarse a la dura realidad: ahora era tuerta, lo que era intolerable, me darán la razón, para una actriz que ni siquiera había aparecido en *Piratas del Caribe*.

Mientras los pasajeros continuaban avanzando hacia sus asientos, la azafata avanzó a contracorriente por el pasillo como un salmón y se detuvo unos instantes para hablar con una mujer uniformada con un chaleco reflectante amarillo, unos grandes cascos sobre las orejas y un walkie-talkie.

Tenían que encontrar el baúl Vuitton de Sophie Morceaux y llevarle la bolsa de aseo que había en un bolsillo exterior.

Por suerte, todavía no lo habían subido al avión. A pie de pista, el encargado explicó a la chica del walkie-talkie que el baúl tenía que recibir un tratamiento especial (considerando a quién pertenecía (no era habitual tener a la famosa y guapa actriz Sophie Morceaux entre los pasajeros de su avión) y no debía viajar, por lo tanto, con el resto de las maletas en los grandes contenedores metálicos AKH. Le señaló un bonito baúl Vuitton marrón del tamaño de un frigorífico pequeño (55 × 128 × 55) que había en un carrito.

La española registró el bolsillo exterior, sacó una bolsa de aseo a juego con los motivos del baúl y lo volvió a cerrar todo. Era la primera vez que veía un equipaje tan lujoso. Con su sueldo miserable, y más en estos tiempos de crisis y de vacas (sagradas) flacas, jamás podría comprarse uno parecido. Quizá la bolsa de aseo, o ni siquiera eso.

—Ok, ya está —dijo al chico que, acompañado de otros dos hombres, cargó el baúl en la única bodega ventilada, climatizada y presurizada del avión.

Si en lo más profundo de ese baúl oscuro, perdido entre unas braguitas y un trozo de ensaimada, Dhjamal hubiera invocado a un genio, este le hubiera dicho con su voz ronca de Barry White: «Faquir, tengo una noticia buena y otra mala. La buena es que te acaban de meter en la única bodega ventilada, climatizada y presurizada de este avión, y eso te evitará llegar a tu destino con forma de helado italiano; la mala es que nunca visitarás Barcelona, puesto que acaban de cargarte en la bodega de un avión que va a despegar en unos instantes hacia un destino desconocido. ¡Hala, otra vez de paseo!».

L a escena solo había durado unos segundos, pero cuando Gustave Palourde y Tom Cruise Jesús Cortés etcétera entraron en el almacén de maletas, el indio había desaparecido.

Gustave, que se odiaba por haber mentido a un gitano, había confesado la verdad al chico de las maletas en cuanto montó en el cochecito. Y la verdad era que quería romperle la cara al extranjero que le había estafado 100 euros. El joven español, para el que no existía nada más sagrado que los lazos de sangre y que nunca perdía una buena ocasión de romperle la cara a alguien, se sumó a la causa de su hermano de comunidad sin más explicación. Además, se sentía aliviado de saber que la joven, que no era diabética, en realidad no estaba en peligro.

Así, excitados por esta caza improvisada del hombre, los dos gitanos recorrieron el laberíntico pasillo en busca del indio que un día había osado ofender a uno de los suyos.

Gustave ya no tenía su nevera a mano, pero acariciaba en su bolsillo su inseparable navaja con mango de marfil que felizmente acababa de recuperar de su maleta al salir del avión. Si el ladrón no le daba lo que le debía, más los intereses, no dudaría en transformarlo en colador.

Los dos hombres llegaron pronto al extremo de la cinta, pero no hallaron ninguna pista del malhechor. Como en aquel momento un chico pasaba por allí, el joven español le preguntó si había visto a un indio, alto y delgado como un árbol seco, con bigote y un turbante blanco en la cabeza. Un indio, vamos.

—¡Al único indio que veo aquí es a este! —respondió el hombre señalando a Gustave con un dedo amenazador—. ¿Qué hace aquí? No está autorizado a pasar a este lado.

—Lo sé, lo sé, pero buscamos una maleta que tiene glucag…, azúcar para su hija, que tiene una crisis —mintió el joven gitano.

—Ah… —respondió el empleado.

Unos segundos después…

—¿Y qué tiene que ver el indio en todo esto?

Tom Cruise Jesús Cortés Santamaría no supo qué responder. Pero sí comprendió que si se metía en líos nunca conseguiría su contrato indefinido. Puso la marcha atrás.

Mientras acompañaba al francés a la zona de pasajeros y olvidaba ese desgraciado episodio, le llamó la atención un puñado de ropa tirada en el suelo junto a una de las cintas.

Más por conciencia profesional que por sospecha, detuvo el cochecito y fue a recoger las prendas. Había varios vestidos elegantes y algunos conjuntos de ropa interior muy sexis de la talla 36, cosa que hacía suponer que su propietaria no debía de ser desagradable a la vista.

—¿Qué es eso? —preguntó el taxista, que fue a su encuentro.

—No sé, parece que alguien ha tirado esto aquí sin mirar muy bien lo que era. Sin embargo es ropa bonita. Seguro que pertenece a alguien rico, o importante, o ambas cosas a la vez. En todo caso a una mujer, eso seguro, y que no debe de ser fea, si quieres mi opinión.

—¿Adónde van estas maletas? —le cortó Gustave como un viejo zorro que no se deja distraer por un par de bragas mientras señalaba los bolsos y las maletas que continuaban avanzando por la cinta.

El chico se acercó a un carrito que pasaba por allí y leyó la etiqueta verde y blanca que tenía colgada.

—FCO.

—¿FCO? —repitió Gustave sin comprender demasiado.

—Estas maletas van con destino a Fiumicino, Roma.

Cuando los motores alcanzaron su máxima potencia y el avión despegó, Dhjamal por fin entendió: 1) que se encontraba en un avión; 2) que la maleta en la que estaba escondido no era una maleta que llegaba, como pensaba, sino una que salía.

Para alguien que jamás había viajado, era como si la suerte se estuviera vengando desde la víspera. Había una aerolínea india cuyo eslogan era: «Viaje con nosotros, le trataremos como a una vaca (sagrada)». El hecho de que estuviera viajando en la bodega de un avión, encerrado en una maleta, le hizo entender que el concepto de vaca tenía un sentido diferente en cada cultura, por lo menos entre una compañía europea y otra india.

Había llegado a Europa hacía veinticuatro horas y ya le parecía una eternidad. Ya había puesto los pies en Francia, Inglaterra y España. Y esa tarde estaría en otro sitio. Buda no lo dejaba en paz. ¿Lo condenaría a ser un inmigrante ilegal a su pesar para el resto de su vida?

¿Dónde aterrizaría esta vez? No lo sabía.

Solo deseaba que el avión no fuera a Nueva Caledonia.

No se veía pasando las próximas treinta y dos horas escondido en un baúl de 1,20 metros con la mitad de una ensaimada como única comida.

Al menos, no estaba boca abajo. Hubiera sido insoportable. Le habían tumbado sobre un lado, lo que, en sí, era bastante propicio para dormir, incluso aunque tuviera las rodillas en la boca. Esperaba que ese baúl no se convirtiera en su ataúd. Un bonito ataúd Vuitton.

Ya que si bien deseaba que lo enterraran, a diferencia de otros faquires hindúes que perpetuaban la tradición milenaria de la incineración, quería que su final llegara lo más tarde posible. Había hablado de su última voluntad con Marie durante la comida. Nunca se sabía. Si un terrorista con un cinturón de explosivos hubiera volado en pedazos en ese momento la cafetería de Ikea y la mujer hubiera sobrevivido, ella habría podido complacer la última voluntad del pobre indio.

—Pues yo preferiría ser incinerada —le había dicho la francesa—. Tendría demasiado miedo a despertarme en un ataúd.

—Y despertarse en una urna, ¿eso no le da miedo? —le había replicado el faquir.

La idea de morir sin haber vuelto a ver a Marie atormentó a Dhjamal. Volvió a ver su sonrisa, sus bonitas manos, su cara de muñeca de porcelana. Se prometió llamarla en cuanto llegara a su destino fuera donde fuese.

Haz que sobreviva, suplicó, y me convertiré en un benefactor, un hombre honesto como me he propuesto.

En ese momento Buda le respondió en forma de ladrido lánguido.

En la bodega había un perro. A juzgar por sus gemidos no debía de ser un cliente habitual, un *frequent flyer*.

Con sus ágiles dedos, Dhjamal buscó a tientas el pequeño mecanismo que había accionado al cerrar la maleta. Si había podido encerrarse desde dentro, podría abrirla de la misma manera.

Unos segundos después, liberó su cuerpo del baúl como un plátano demasiado maduro al que le quitan la piel. Por suerte, no había tantas maletas en la bodega como para bloquear su salida. Cuando al fin logró salir, estiró las piernas un instante y se masajeó las lumbares y las pantorrillas. Terminar acurrucado en un baúl después de una noche en blanco arrestado en una celda abarrotada era, hablando con propiedad, como viajar como una vaca (pero no de las sagradas).

El indio se puso de pie, pero el techo, bastante bajo para su altura, le obligó a agacharse. Decidió entonces avanzar como un pato hacia el lugar de donde procedían los gemidos. Avanzar como un pato hacia un perro era, como poco, original.

Como la bodega estaba totalmente oscura, Dhjamal avanzaba a tientas. Cada vez que tropezaba con algo, uno de esos ONI, Obstáculos No Identificados, lo empujaba o lo rodeaba, según lo que pesara.

Pronto se encontró ante unos ojos brillantes que le miraban sin pestañear en las tinieblas. Le encantaban los animales. No les temía. Cuando uno ha pasado su más tierna infancia con una cobra como mascota, no teme a ningún otro animal, y aún menos a un perro, el mejor amigo del hombre.

Dhjamal acercó a la jaula el trozo de ensaimada que le quedaba.

—Buen perro, buen perro —dijo, por si el animal se decidía por la carne humana y no por el brioche.

Entonces sintió una gran lengua húmeda y fría, de una textura parecida a la de un filete de ternera (sagrada), que le lamía ávidamente los dedos.

Los aullidos de tristeza del animal cesaron. Tanto el trozo de brioche como la inesperada compañía parecían haberle calmado.

—¿Sabes adónde vamos? Porque yo no tengo ni idea… Ni siquiera sé si nos dirigimos hacia el sur, el norte, el este o el oeste; si estamos sobre el mar o sobre las montañas. Además, soy un poco clandestino. Al menos esta vez dudo que experimente el síndrome del miedo al avión que frena y luego se detiene. La policía europea no para los aviones en pleno vuelo, ¿verdad?

El perro, que no sabía qué decir, no contestó.

En la oscuridad, los sentidos del indio se habían multiplicado, como cuando se quedó encerrado en el armario durante el viaje en camión al Reino Unido. Y, a su pesar, su olfato también. Un olor de animal sucio hizo que le temblaran las narinas, pero pronto se dio cuenta de que el olor no procedía de la jaula que tenía delante de él. Era él quien apestaba. Si no se resistía al cansancio, al hambre o a la sed, nuestro faquir, en cambio, sí se resistía a la ducha. A veces podía pasar varias semanas sin ducharse. Si en esos dos últimos días no había encontrado la oportunidad de lavarse, los cinco precedentes al viaje lo hubiera podido hacer. Pero no se había pasado una esponja por la cara desde hacía un siglo. La última vez que había caído agua en su cabeza era de lluvia. Y no llovía a menudo en el desierto Tártaro, ¡créanme!

Siddharta Gautama, más conocido como Buda, se había quedado meditando siete semanas bajo el árbol de la Bodhi. ¿Acaso se había duchado?

Como tenía tiempo y nadie le molestaría en aquel lugar, Dhjamal se puso en cuclillas sobre el suelo metálico de la bodega, en la posición del loto, frente a los ojos brillantes del perro, y empezó a meditar sobre esa nueva vida, esa vida de bienhechor y de hombre honesto que le esperaba fuera. Acababa de ofrecer un brioche a un perro, pero no era suficiente como para considerar que había cambiado por completo. ¿A quién podía ayudar? ¿Y cómo?

El faquir siempre había sentido la inquietud de escribir.

No le faltaban ideas. Tenía una gran imaginación. Quizá su agitada vida era en parte la responsable. Fuera como fuese, utilizaba esa imaginación desbordante para inventar sus trucos de magia y hacer que lo irreal pareciera real y lo imposible, posible.

Sin embargo, nunca había plasmado sus historias por escrito. Pasar a la acción era más complicado de lo que pensaba y siempre había pospuesto el momento para lanzarse.

¿Y si había llegado el día? ¿Y si esa actividad honesta y lucrativa que buscaba para comenzar su nueva vida era la de escritor? Pero no la de un escritor callejero, no. No se veía sentado en la acera con una máquina de escribir en bandolera esperando a que algún paseante le encargara una carta de amor. No, tenía más ambición. Quería ser escritor de best sellers. Aquello ya era más razonable que ser bailarín de fox-trot o jinete. Y si no, siempre le quedaría la posibilidad de ser vendedor de torres Eiffel en París.

—¿Qué te parece, amigo mío? ¿Te vale escritor?

El perro ladró tres veces.

Dhjamal lo interpretó como un «Creo que es muy buena idea, tío, ¡lánzate!».

Pues bien, en la portada del libro se veía un coche amarillo de época, con la palabra TAXI pintada a los lados, propulsado a toda velocidad por las calles de Nueva Delhi. Habría dos protagonistas: el chófer, un gordo barbudo con cabellos electrificados, y un joven con muletas que correría delante del taxi a pesar de su minusvalía.

Dhjamal sonrió en la oscuridad.

El taxista loco en su coche no era más que una visión literaria del chófer parisino con su nevera, y él era el enfermo que cruzaba la calle.

El título sería algo como *Dios coge el taxi como todo dios*. Ahora que ya tenía el título y la portada, el faquir podía por fin empezar su novela. ¿No era así como se hacía?

Entonces, el hombre se quitó la camisa, cogió su lápiz de madera de Ikea y se puso a escribir sobre la tela, en las tinieblas, el relato que su mente daba a luz:

CAPÍTULO UNO

1

No entendía por qué estaba prohibido subirse a un avión con un tenedor si era posible matar a alguien con un bolígrafo. No entendía por qué estaba prohibido montar en un avión con un cuchillo cuando se les daba uno de metal a los pasajeros de primera clase para que pudieran degustar su almuerzo con distinción. En realidad, no entendía todas esas medidas de seguridad cuando era tan fácil matar a alguien con las propias manos. Si siguiéramos esta lógica, ¿no deberían amputarnos las manos, esas peligrosas armas, antes de embarcar?, ¿o hacernos viajar en la bodega del avión como animales, bien lejos de esa cabina de mandos tan codiciada?

(Como este perro que escucha esta historia ahora y cuyos ojos brillantes son mi única referencia en la noche. *Dios coge el taxi como todo dios* contaría las aventuras de un viejo terrorista kamikaze ciego, un afgano de nombre Walid Nadjib, unos minutos antes de embarcar con destino al Reino Unido. ¿Por qué ciego? Quizá porque yo mismo estoy en la oscuridad en este momento. Solo escribimos sobre lo que conocemos, después de todo. La escena se desarrollaría en el aeropuerto de Colombo, Sri Lanka, punto de salida que el terrorista habría escogido para no levantar sospechas. En fin, sigo escribiendo.)

El hombre estaba cada vez más nervioso y retrasó el momento en que debía pasar por el detector de metales que le separaba de la zona de seguridad yendo al baño. Efectivamente, había escondido en el interior de su bas-

tón suficiente carga de explosivo para destruir en pleno vuelo el avión en el que iba a viajar. Nadie sospecharía de un ciego.

Había estudiado bien su plan, pero un miedo insuperable asaltó al hombre. No era miedo a morir, pues estaba totalmente convencido de su causa y sería un honor para él morir defendiéndola. Lo que le angustiaba era el miedo a ser detenido por las autoridades antes de poder llevar a cabo su plan (¿el síndrome del camión que frena y luego se detiene?).

Pero había pensado en todo. Hacía seis meses que pulía cada detalle de su último viaje. Había conseguido un pasaporte falso esrilanqués de buena calidad y un auténtico visado inglés de corta estancia para negocios. Llevaba un traje gris hecho a medida y un maletín con la documentación sobre su empresa ficticia, una fábrica especializada en pintura de coches, que iba a presentar a Vauxhall, la versión inglesa de Opel. También llevaba muestras de los últimos colores que su firma proponía en el mercado, entre los que estaban el rojo puma y el azul tortuga. Una multitud de matices. ¡El colmo para un ciego! Pero había ensayado bien su guión y se lo sabía de memoria por si le hacían preguntas. Había hecho todo lo que estaba en sus manos. El resto lo dejaba en las de Alá.

Sin quitarse las gafas negras, el hombre se mojó un poco la cara. Si no hubiera sido ciego, habría visto en el espejo del baño a un hombre viejo, elegante, bien afeitado. Nada hacía sospechar que estuviera a punto de hacer volar un avión (¡sin ser el piloto!) sobre el mar de Arabia poco después del despegue.

Walid Nadjib buscó a tientas el secador de manos.

Después, con paso decidido, se abrió camino hacia la zona de control. Conocía el trayecto de memoria. Su bastón había recorrido cada centímetro cuadrado. Había pisado esas baldosas cientos de veces, primero acompañado, después solo.

Por fin llegó a una de las dos colas que llevaban a los detectores. Empezó a quitarse el cinturón. Un empleado del aeropuerto vino a su rescate y le ayudó a desprenderse del resto: su chaqueta de traje y su maletín.

Después de unos segundos, le tocó pasar bajo el arco de control.

(Bien, ya tengo el principio. Sigamos. El perro ladra tres veces para decirme que está impaciente.)

CAPÍTULO DOS

11

Ahora la historia tenía lugar en una pequeña prisión esrilanquesa. Habían arrestado a nuestro terrorista ciego y es ahí donde había acabado, sin ningún tipo de juicio. No le habían condenado a muerte, pero una pena de prisión en aquel tugurio infecto era prácticamente lo mismo.

Le habían dado un bhikkhu que algún día había sido rojo pero que ahora, después de muchos lavados, se había convertido en un naranja Guantánamo muy apropiado.

El afgano supo que era la toga que llevaban los monjes en aquel país y que daban a los prisioneros para que purificaran su alma. De todas maneras, que fuera roja desteñida no tenía ninguna importancia para él, puesto que nunca la vería.

En su paquete de bienvenida había también una toalla áspera, un lote de diez pequeños jabones (una vez que se caían en la ducha era aconsejable no recogerlos) y un peine de plástico.

El hombre se encontró así en una celda de siete metros cuadrados. Como era viejo y ciego, le metieron con un solo prisionero. Al resto de los inquilinos los encerraban en grupos de cuatro o cinco. No había sitio para todos.

Su compañero de celda se llamaba Devanampiya.

—Como Devanampiya Tissa, el rey cingalés, fundador de Anuradhapura. Encantado de conocerte, extranjero.

El esrilanqués había extendido amablemente su mano hacia el recién llegado. Este no había reaccionado. Al ver las gafas oscuras del hombre, Devanampiya comprendió que era ciego.

El afgano hablaba un poco el cingalés, esa lengua que golpea fuerte el paladar y emite pequeños chasquidos secos. Eso facilitó los primeros intercambios. Después, Devanampiya se empeñó en enseñarle su idioma. Tenían tiempo de sobra. Y pronto pudieron lanzarse a grandes conversaciones sobre el mundo, Dios y la necesidad de difundir la voz de Dios en el mundo.

Incluso si no estaba de acuerdo con los pensamientos radicales de su compañero, el esrilanqués reconocía que la gente debía ser guiada por la fe y la religión y que la falta de espiritualidad que afectaba a Occidente solo podía dañar el buen equilibrio de las cosas sobre la Tierra. No había religión en otros planetas y se veía el resultado: ¡ninguna vida extraterrestre!

Una mañana, cuando volvían de las duchas, el ciego preguntó a Devanampiya si había alguna ventana en la celda. El esrilanqués pensó que su compañero le iba a desvelar un plan de evasión.

—A menudo oigo los ruidos de la ciudad, de los coches, el timbre de las bicicletas y percibo el olor de los pimientos en el mercado. Tú que tienes la suerte de ver el mundo tal y como es, ¿me podrías describir lo que se ve por la ventana?

A partir de ese día, Devanampiya le contó cada mañana lo que pasaba fuera. Le explicó que la ventana tenía tres grandes barrotes, pero que dejaban el suficiente espacio para entrever la plaza del mercado que se extendía delante de la prisión. En el medio había tenderetes, cubiertos con una lona los días de lluvia o de fuerte sol. Sobre grandes bandejas de madera, los tenderos habían apilado sus mercancías, de mil colores, entre las que los curiosos pululaban sin cesar. Sobre la plaza reinaba una efervescencia continua que hacía olvidar que a unos metros de allí, detrás de los imponentes muros de piedra, la vida se había detenido un día para un centenar de prisioneros.

A la izquierda de la plaza había una gran casa que pertenecía a un rico propietario. Poniéndose de puntillas se podía distinguir la esquina de una piscina donde, a veces, una señora de origen europeo, de piel blanca luminosa, se bañaba desnuda. Pero desaparecía casi inmediatamente detrás de los grandes árboles que habían sido plantados, sin duda, para preservar la intimidad de los habitantes y exacerbar la imaginación de los prisioneros.

A la derecha había una estación y a menudo se oía el ruido metálico de los frenos de los trenes sobre los raíles.

Justo delante, entre la prisión y el mercado, había una gran avenida por la que circulaban los vehículos más variados. Carretas tiradas por bueyes, coches modernos, rickshaws, camiones cargados de mercancías, autobuses atestados con personas colgadas de las ventanas, tumbadas sobre el techo o incluso amontonadas en las escaleras. Bicicletas, muchas bicicletas con dos o incluso tres personas encima, motocicletas de quinta mano que Inglaterra les había revendido. Y gente, gente y más gente por todos lados.

Con una impresionante riqueza de vocabulario para una persona de su condición, el esrilanqués describía cada centímetro cuadrado de lo que veía a través de los barrotes. Cuando Walid le pedía que le explicara una palabra, interrumpía su discurso y se convertía en profesor durante unos minutos.

El afgano lo memorizaba todo.

Cada día le preguntaba por la europea.

—¿Hoy no se baña?

—No. Hace días que no la veo.

—Y el tercer tendero empezando por la derecha, el señor gordito al que se le ven sus grandes orejas desde aquí, ¿ha vendido todas las tortitas?

—Sí. Su mujer, que lleva el pelo recogido en una larga trenza, prepara más en una sartén sobre un hornillo. ¡Espero que no se queme el pelo!

—Lo huelo desde aquí (las tortitas, no el pelo quemado). Mmm... Cómo me gustaría probarlas...

Luego el ciego sorbía ruidosamente la infame gacha de patatas que le habían servido imaginando que eran las tortitas de pimientos de la señora de la trenza.

Los dos hombres pasaban así sus días. Walid empezaba a dominar el cingalés y Devanampiya era feliz de poder devolver la vista, y la vida, a los ojos de su compañero.

Así, una gran complicidad nació entre los dos hombres.

La vida en la cárcel pasaba al ritmo de las descripciones espléndidas y precisas de Devanampiya. Y el día que llovía y el mercado se cubría de grandes toldos de color, obstruyendo la vista del joven, o el día que simplemente no había mercado, el martes, el ciego presionaba a su compañero de celda para que le describiera el paisaje con el más mínimo detalle.

Un día, el esrilanqués, aupado sobre la punta de sus pies y con las manos asiendo firmemente los barrotes, contó a Walid el extraño acontecimiento que acababa de ocurrir fuera:

—Un hombre de unos cuarenta años, con bigote, una camisa blanca y un pantalón beis, ayudándose de dos muletas, estaba cruzando la avenida (¡menudo tráfico!) cuando un coche amarillo de época, una especie de taxi neoyorquino, se ha precipitado sobre él. Viendo que el coche no podía parar, el joven inválido ha soltado sus muletas y ha corrido hasta la acera de enfrente, la de la prisión, sin ser atropellado. ¡Es increíble!

—¡Dios coge el taxi como todo dios! —exclamó Walid, al que le habían prohibido gritar el nombre de Alá—. ¡Es un milagro!

El ciego empuñó su toga por el lado derecho y frotó la tela contra su pierna.

—Y ahora, dime, ¿qué pasa?

—Veo una aglomeración de gente, pero como es en nuestra acera casi no distingo nada. La torre de guardia me obstruye la visión. En todo caso, hay mucho trajín. Los guardias incluso han salido a la calle.

—Bien, bien —susurró el ciego.

No hubo ningún otro acontecimiento digno de interés ese día.

CAPÍTULO TRES

III

La higiene en prisión era casi inexistente. Incluso el agua que salía de la ducha tenía un aspecto oscuro y terroso. Había cucarachas en las celdas y la gente tosía a todas horas del día y de la noche. Un olor pestilente reinaba en los pasillos y las zonas comunes. Los váteres estaban casi siempre atascados, y cuando no lo estaban litros de agua amarillenta desbordaban las tazas e inundaban las baldosas rotas. Los prisioneros chapoteaban, en sandalias o descalzos, en sus propios excrementos como animales enjaulados.

Un día en el que los dos hombres volvían del patio donde les dejaban estirar las piernas durante unas horas, Devanampiya, que tosía sin parar desde hacía semanas, se desmoronó en los brazos de Walid, fulminado.

Llamaron al médico enseguida. Cuando llegó, examinó el cuerpo del joven esrilanqués allí mismo, en el suelo. Después se quitó su fonendoscopio, sacudió tristemente la cabeza y dos tipos imponentes se llevaron el cadáver arrastrándolo por el agua amarillenta del pasillo.

Preocupado, Walid preguntó a un prisionero lo que estaba pasando y supo que su amigo había muerto.

(Me pregunto si los ciegos lloran. Tendría que comprobarlo. Si es así, Walid llorará. Llorará mucho. El perro ladró tres veces para que continuara mi relato.)

Walid, entonces, lloró mucho (falta comprobar).

Aquella noche derramó todas las lágrimas de su cuerpo y de su corazón. Y se oyeron los sollozos hasta en su tierra, en Afganistán. Acababa de perder a un amigo, el único que tenía allí, y acababa de perder de nuevo, con él, la vista. En aquellas condiciones, la cárcel se convertiría rápidamente en un infierno.

CAPÍTULO CUATRO

||||

Walid Nadjib no tuvo tiempo de acostumbrarse a la soledad de su celda. Al cabo de unos días llamaron a la gruesa puerta de madera y las bisagras chirriaron.

—Te hubiéramos dejado solo —dijo el guardia—, pero no tenemos sitio. Espero que todo te vaya bien.

Lo había dicho como si supiera algo del recién llegado que el ciego ignoraba, pero que no presagiaba nada bueno.

Cuando la puerta se volvió a cerrar, se hizo un silencio de muerte. El afgano habló el primero, como para exorcizar la mala suerte. Se presentó sin olvidar indicar al nuevo que era ciego y que debería hacer un esfuerzo para dirigirse a él.

El recién llegado no dijo nada.

La paja de una de las literas crujió como las hojas de lechuga bajo unos dientes bien afilados. El hombre debía de haberse tumbado. Pronto se durmió, puesto que una fuerte respiración, parecida al ronquido de un oso, saturó los oídos de Walid. El ciego pensó que su nuevo compañero debía de estar cansado y no lo molestó.

Unas horas más tarde, cuando trajeron la comida, el hombre se despertó y comió su papilla. Walid oyó cómo masticaba y sus eructos incesantes como si estuviera dentro de su estómago. Aprovechó para hablar con él.

—Perdone si antes he dicho algo que le haya molestado. Soy ciego y no puedo ver las expresiones de su cara. Si no me dice nada, temo no saber con quién comparto estos tristes muros. El tiempo pasaría más deprisa si nos conociéramos. Bueno, es lo que pienso...

El otro hombre no respondió nada.

Walid continuaba oyendo cómo sus dientes invisibles masticaban la papilla con el ruido característico de las botas que chapotean en el barro. Intrigado, se levantó y fue a tientas hasta tocar la piel húmeda de su compañero de celda, que dejó de masticar.

—¡Deja de sobarme, viejo pervertido! —exclamó el hombre en un cingalés que dejaba entrever serios problemas de dicción—. ¡He matado por menos que esto!

Walid retiró la mano, como si se estuviera quemando.

—¡No, no me malinterprete! Soy ciego. Solo quería llamar su atención, ya que desde que ha llegado no me ha dirigido la palab...

—No se moleste en hablar —cortó el esrilanqués titubeando—, estoy sordo como una tapia.

La noticia cayó como una guillotina.

El recién llegado era un hombre imponente de dos metros, musculado y con tripa cervecera pronunciada. Un fino bigote negro tachaba su cara como diciendo «De esta boca no saldrá ni una palabra». Pero Targuyn, gracias a laboriosos ejercicios de articulación, había adquirido el uso del habla en contra del diagnóstico pesimista de todos los médicos que lo habían examinado. Así, Targuyn ya no era mudo, solo sordo, minusvalía contra la que no podía hacer nada.

Cuando había entrado en la celda, enseguida le había llamado la atención la rareza de ese hombre con gafas de sol. Ese accesorio no tenía sentido en un lugar donde el sol brillaba justamente por su ausencia.

Con sus gafas negras y sus toqueteos, el prisionero tenía toda la pinta de un pervertido. Sin duda hacía varios años que le habían encerrado en ese miserable lugar y que no había tenido relaciones sexuales, o en todo caso el tiempo suficiente como para alterar su juicio y para que tomara a un coloso bigotudo de dos metros y ciento ochenta kilos por una apetecible virgen de veinte años.

Después, todo tuvo sentido. Las gafas negras, el hombre avanzando a tientas en la celda y el bastón blanco en la cama eran indicios suficientes para Targuyn, que era un poco cortito, de que su compañero de celda era ciego.

¡Un sordo y un ciego, mira qué oportuno!, se dijo.

Cuando la noche comenzaba a caer y en los pasillos sonaba la llamada que indicaba la cena, Targuyn se levantó de su colchón y se acercó al ciego, que, con la cabeza mirando al techo y los labios temblorosos, parecía estar en pleno delirio o en pleno rezo.

—Me llamo Targuyn —dijo simplemente.

Finalmente el gigante no era un mal tipo.

(Y ahora ¿cómo podía seguir? ¡Rápido, una idea, el perro ladra!)

En poco tiempo los dos hombres se hicieron amigos porque ambos tenían algo que los diferenciaba del resto de los prisioneros y que, de algún modo, los unía. El primero no veía, el segundo no oía. En cierto modo se completaban. Lo que uno no veía, el otro se lo describía. Lo que uno no oía, el otro se lo escribía.

Era la primera vez que Targuyn veía a un ciego escribir. Con una mano, el hombre tocaba los bordes del cartón para no salirse, y con la otra escribía lo más pequeño posible. Las frases volaban hacia todos los lados y formaban bonitos ramos de palabras.

Walid, que cada día sentía más la pérdida de Devanampiya y pensaba en él con nostalgia, repitió un día a Targuyn la extraña petición que una mañana había formulado a su antiguo compañero de celda.

Escribió: «Dezcríveme lo que bes por ezta bentana».

Un montón de preguntas quemaban los labios de Walid desde la muerte de su amigo. No eran rezos lo que el hombre profería en sus delirios, como había creído Targuyn, sino el relato de las descripciones de Devanampiya que el ciego recordaba y que se contaba a sí mismo con el fin de vivir de nuevo la ilusión de ver que había tenido durante los primeros meses de prisión.

Así, ese primer día de primavera, el coloso leyó las palabras que Walid había garabateado a boli sobre un trozo de cartón. Si hablaba correctamente cingalés, el afgano, en cambio, tenía dificultades con la ortografía.

—Escribes mejor que algunos nativos, Walid. Hay faltas, pero se entiende. Sin embargo, no comprendo lo que quieres decir. Dime y cumpliré tu voluntad.

Targuyn a veces hablaba como los genios que salían de

las lámparas en los cuentos orientales. Como única respuesta, el ciego golpeó con su índice el cartón para insistir en lo que había escrito.

—La ventana da a un muro —dijo el gigante—, un muro de ladrillo. No se ve nada.

El ciego se quedó atónito por un momento.

¿Un muro de ladrillo?

Parecía que una mano invisible lo había transformado en estatua de piedra.

Después bajó la cabeza lentamente.

El mundo acababa de derrumbarse.

Comprendió que su antiguo compañero de celda se lo había inventado todo con el único objetivo de complacerle. Un gesto altruista, desinteresado. Un gesto de amor, de fraternidad, de amistad.

(Bueno, ya he escrito sobre la parte de delante de la camisa, sobre las mangas y acabo de terminar la espalda. Si he calculado bien, no me queda más espacio. De todos modos, ya no sé qué más escribir. Habrá que pulirlo. Pero no está mal para un primer borrador…)

Este orgullo de haber podido plasmar con palabras sus ideas fue el tercer electroshock que el faquir recibió en pleno corazón desde el comienzo de su aventura. Sabía que era una bonita historia y que no tenía más que pasarla a papel para que se convirtiera en un libro. Se prometió copiar todo en cuanto llegara a su destino, fuera donde fuese. Después de haber llamado a Marie, claro. Se moría de ganas.

Italia

Y así es como he acabado en su baúl, señora —concluyó Dhjamal con media sonrisa.

Desaparecer en el fondo de una maleta en Barcelona para reaparecer en Roma era, de lejos, el mejor truco de magia que había hecho en su vida. Houdini no lo hubiera hecho mejor.

La bella joven de ojos verdes y pelo color avellana lo miraba fijamente, entre sorprendida, escéptica y asustada, lo cual era preferible a la crisis de histeria que la había asaltado cuando lo había descubierto al abrir el baúl. Dejó en su sitio la lámpara de la mesilla de noche que había cogido como arma. La historia no parecía tener mucho sentido, cierto, pero había algo, algo verdadero, algo sincero, en el tono de voz del hombre. Además, ¿cómo podría haberse inventado una mentira tan grande?

—Ahora saldré de esta habitación y no la molestaré más, señora. Desapareceré para siempre de su vida. Pero antes me gustaría hacerle una pregunta.

—Le escucho —llegó a balbucear ella en un inglés impecable.

—¿Dónde estamos? Debe de ser la cuarta vez que me lo pregunto en dos días. Si supiera lo molesto que es...

—En Roma —contestó Sophie Morceaux—, en el hotel Parco dei Principi.

—¡Ah! ¿Quiere decir en Roma, Italia?

—Sí, sí. Roma, Italia —confirmó la chica Bond de *El mañana nunca muere*—. ¿Conoce otra?

—No.

El hombre parecía tan inofensivo y la situación tan cómica que la actriz no pudo evitar esbozar una sonrisa. Ella, que al principio pensaba estar tratando con un fan desequilibrado, se sentía ahora aliviada.

Miró al indio, alto y delgado como un árbol seco, con la cara atravesada por un gran bigote al estilo de Antonio Banderas en *La leyenda del Zorro*. Su camisa blanca y arrugada estaba llena de inscripciones microscópicas. Parecía un sudario impreso con jeroglíficos trazados a lápiz.

—¿Qué es eso? —preguntó la chica señalando la camisa.

—¿Esto? Lápiz. Un lápiz de Ikea. Pero más concretamente, mi última novela, en fin... quiero decir, mi primera novela, escrita a ciegas.

—¿Tiene la costumbre de escribir sus libros sobre sus camisas? ¿Y a ciegas?

—¿Hubiera preferido que lo hiciera sobre una de las suyas? ¿Con la luz encendida? —ironizó Dhjamal.

Sophie Morceaux se echó a reír. Después se volvió hacia su baúl abierto y desesperadamente vacío.

—A propósito de camisas, imagino que las mías se han quedado en Barcelona... En fin, si he entendido bien, no tengo nada que ponerme, ¿verdad?

Dhjamal bajó la cabeza como un niño al que han pillado haciendo alguna travesura. No tuvo el coraje de decirle que se había guardado una de sus braguitas en el bolsillo del pantalón.

—Yo tampoco —dijo.

No quedaba nada del bonito traje, de la camisa ni de la corbata que había alquilado al viejo Yogi. La chaqueta y la corbata se estaban pudriendo en Francia y la camisa estaba llena de los garabatos de su futura novela.

—De todas formas, nunca me gustaron esos vestidos —mintió Sophie Morceaux—. ¿No estamos en el país de Gucci y Versace? —añadió, contenta con la idea de ir a desvalijar las tiendas—. No debería de ser un problema encontrar algo, ¿no?

—Eso creo —convino Dhjamal, que nunca sabía cómo responder a las preguntas negativas.

—Por cierto, ¿tiene planes para esta noche?, ¿a qué hora sale su próximo armario?

Por primera vez en su vida, alguien confiaba en él, así, sin tener que usar una vil estratagema, un vulgar truco, simplemente diciendo la verdad. Los «bonitos países» realmente eran una caja de bombones llena de sorpresas. Y la policía no era siempre el comité de bienvenida. La nostalgia de su país se esfumó de un plumazo durante unos segundos.

Ese fue el cuarto electroshock que el faquir recibió en pleno corazón desde el comienzo de la aventura. Acababan de ayudarle de nuevo. Pero ¿cuándo tendría él la oportunidad de ayudar a alguien?

Conmovida por la historia del indio, Sophie Morceaux le había propuesto pasar la tarde con ella. Era un personaje exótico, original y sincero, que le permitiría olvidar durante una cena las personalidades superficiales y edulcoradas del mundo del cine que frecuentaba desde que salía en superproducciones americanas. Por otra parte, no se creía totalmente su historia y prefería imaginar que Dhjamal era un escritor perseguido en su país y que había tenido que viajar clandestinamente para solicitar asilo en Europa. Esto era mucho más excitante.

El hotel en que la actriz iba a alojarse los próximos días, con ocasión del Festival del Cine Latino, se encontraba sobre las colinas de la capital italiana, justo detrás del magnífico parque de la Villa Borghese, el pulmón de la ciudad.

Como el Parco dei Principi Grand Hotel & Spa era demasiado caro para «Llámame cuando oyes gas», cuyo nombre conseguía pronunciar perfectamente, le invitó a dormir en la habitación de al lado, la 605, que su agente había reservado, junto con otra decena en el mismo piso, para que la estrella no fuera molestada por los curiosos.

Realmente merecía la pena viajar en un baúl si luego te ofrecían una noche en uno de los hoteles más lujosos de Roma, separado solo por una pared de la mujer más guapa del mundo. El indio, no obstante, se sentía un poco culpable. A esa hora, Mohamed y sus amigos no correrían la misma suerte. Se los imaginó sentados al fondo de un camión de mercancías cruzando la frontera franco-española, comiendo conservas y galletas mientras temían ser detenidos de nuevo por la policía.

Incluso aunque no sabía lo que le iba a suceder en los próximos diez minutos, el indio estaba contento de estar allí. A esa hora debería encontrarse en el avión de regreso a su casa. Y, por muy extraño que pueda parecer, no lo echaba de menos. Al menos por el momento, puesto que la presión acababa de aflojar un poco. Se recordó que estaba haciendo un viaje increíble y que se había encontrado con personas maravillosas. Tenía que aprovechar ese arrebato de felicidad porque, en unos instantes, seguramente estaría consumiéndose en su cama, solo, preso de la más profunda depresión, la de los exiliados, los inestables, la de los sedentarios que se encuentran catapultados lejos de su casa, que tienen morriña, la añoranza que recorre sus venas y ninguna rama a la que sujetarse.

Pensó en su primo, tan lejos… Le hubiera gustado mucho poder compartir todos esos momentos emotivos, pero, con él, a lo mejor nada de eso hubiera pasado. Además, nunca hubieran cabido los dos en el baúl Vuitton. ¡Qué se le va a hacer! Se lo contaría todo a la vuelta, si es que regresaba algún día. Ojalá hubiera podido informar a su familia de su progresión. En solo dos días, había visto en Europa cosas que no había visto en treinta y ocho años de existencia y que no hubiera visto, seguramente, si un día no hubiera decidido esconderse en el armario de una gran tienda. Está claro que la vida depende de pequeñas cosas y que los lugares más banales son, a veces, el principio de excitantes aventuras.

Una vez en su lujosa habitación, Dhjamal saltó sobre la gran cama para comprobar si era cómoda. Se acabó la vida bohemia y de charlatán, se dijo, tengo otras ambiciones. Por ejemplo, ayudar a alguien, publicar mi libro y volver a ver a Marie.

Satisfecho con el colchón, se levantó y se fue al cuarto de baño. Había una gran bañera blanca de pies y grifo dorados. El indio pensó que un buen baño caliente sería una manera bastante correcta de comenzar una nueva vida. Sería como si lavase todos sus pecados.

Cuando salió, una hora más tarde, envuelto en un albornoz sedoso de un blanco inmaculado, encontró ropa limpia impecablemente doblada sobre la cama: una chaqueta, una bonita camisa marrón, un pantalón beis, unos calcetines y unos zapatos de color crema. Tenía delante de sus ojos más matices de beis que un muestrario de colores. En un trozo de papel que había en la mesilla de noche, había escrito, con una bonita letra femenina: «Le espero dentro de una hora en el hall».

Se apresuró a probarse el conjunto. Todo le quedaba perfecto, como hecho a medida. No era un gran experto, pero las mangas no eran ni demasiado cortas ni demasiado largas y el pantalón le caía bien sobre los zapatos.

Dhjamal se miró en el gran espejo ahumado de la habitación. No se reconoció. Iba a arrasar. Esta vez sí que parecía un rico empresario indio. Qué elegancia. Le costaba pensar que era realmente el del espejo. Se encontraba guapo. Si hubiera tenido una cámara, se hubiera hecho una foto y se la hubiera enviado inmediatamente a Marie. Pero no tenía cámara ni tampoco su dirección. Y, además, ese traje no era más que una fachada. No tenía nada de lo que iba con él. Ni el reloj, ni el ordenador, ni el móvil, ni el coche, ni la casa, ni la cuenta en Suiza. ¿Por qué Sophie era tan generosa con él? Era un desconocido. Él no había tenido aún la oportunidad de ayudar a alguien. Se preguntó qué cara tendría la primera persona a la que ayudaría.

Por el momento solo veía la suya. Dio un paso adelante, hacia el espejo. Faltaba algo en ese cuadro idílico para que la transformación fuera completa. O, más bien, había algo de más.

Por primera vez en su vida, el indio se quitó el collar de piercings de sus labios carnosos y se afeitó el bigote, más delicadamente de lo que lo hicieron el día de su condena. Ese sería su último truco de metamorfosis y de desaparición. El faquir acababa de desvanecerse para siempre en el vapor del cuarto de baño y acababa de nacer un escritor.

Media hora antes de acudir a su cita, Dhjamal decidió, como se había prometido si sobrevivía a su viaje en la bodega del avión, llamar a Marie. Lamentó no tener móvil como su primo Pawan Bhyen. La versión oficial era que un mentalista no tenía ninguna necesidad; la versión oficiosa, que no tenía suficiente dinero; la verdadera e inconfesable versión era que no tenía a nadie a quien llamar. Así que se contentó con el teléfono fijo de su nueva madre adoptiva.

Llamó a la recepción del hotel y pidió que le pusieran en contacto con el número que la francesa le había garabateado en el envoltorio de chicle.

Mientras el teléfono sonaba, el corazón del indio comenzó a latir al ritmo de una canción tecno. ¿Qué iba a decirle? ¿Se acordaría aún de él? ¿Le habría esperado?

Estas preguntas quedaron sin respuesta, puesto que nadie descolgó. Decepcionado y aliviado a la vez, soltó el auricular con un aire triste en sus ojos del color de la Coca-Cola. Quería volver a ver a Marie. Ahora estaba seguro. ¿Qué era lo que le había llevado a rechazar sus proposiciones? No había querido comprometerse para no arriesgar la misión. Pero ¿qué misión? ¿La de comprar una cama de clavos que no le serviría ya de nada ahora que se había convertido en escritor salvo, quizá, para hacerse unas estanterías una vez desmontada? ¡Quince mil clavos prometían unas buenas horas de entretenimiento! De todas formas, no la había comprado. Mejor así.

¡Qué estúpido había sido! Volvió a pensar en la mano de la muñeca de porcelana cuando había aterrizado delicadamente sobre la suya. La había retirado. Nunca se le volvería a presentar una oportunidad como aquella.

A paso lento, fue a buscar su antigua camisa, que había dejado cuidadosamente sobre el borde del bidé antes de entrar en la bañera, y se sentó al escritorio.

Cogió un bolígrafo con publicidad del hotel y una hoja grande y comenzó a copiar meticulosamente lo que había escrito en la bodega. A veces ni siquiera lo entendía. No había sido fácil escribir en la oscuridad… Como su personaje ciego, había usado un dedo como guía de su mina de lápiz para no escribir en el vacío. Las letras estaban en minúscula y algunos caracteres se habían borrado, transformando su novela en un gigantesco texto incompleto. Pero, como él era el autor, no tuvo problemas para encontrar sus palabras e inventarse otras.

Se preguntó qué habría sido de su primer oyente, el perro de la bodega de equipajes. Como había vuelto a su escondite antes de que el avión aterrizara, en realidad Dhjamal nunca había visto la cara, bueno, el hocico, de su compañero de viaje. El animal jamás llegó a imaginarse que había asistido a las últimas horas del faquir Dhjamal y a las primeras del escritor Dhjamal. Había sido testigo del más grandioso número de transformación humana en la bodega de un avión.

El rajastaní levantó la vista hacia la ventana. Fuera, el sol desaparecía detrás de los árboles del parque. El tiempo había pasado deprisa. Dejó el bolígrafo y se levantó apresuradamente. Seguiría después. No quería llegar tarde a su primera cita.

Gustave Palourde solo tuvo que ver la ropa de lujo tirada en el suelo, al lado de la cinta mecánica, para comprender que el hombre al que buscaba había vaciado el contenido de una maleta para esconderse en su interior. A esas horas el hindú debía de encontrarse en alguna pista, dispuesto a embarcar en la bodega de un avión con destino a Italia.

El gitano habría podido pedir al otro gitano, Tom Cruise Jesús Cortés bla-bla-bla, que lo acompañara hasta el avión. Allí, habría inspeccionado las bodegas y habría rajado con su navaja de mango de marfil todos los bolsos que pudieran contener el cuerpo alto y delgado como un árbol seco de su enemigo jurado.

Pero no hizo nada. Tenía una idea mejor.

No todas las bodegas estaban presurizadas ni climatizadas, eso dependía del modelo de avión. Había muchas probabilidades de que, durante el vuelo, el indio se convirtiera en un bonito bloque de hielo. El chico le confirmó que a treinta y seis mil pies (unos once mil metros), altitud de crucero de un vuelo comercial, se llegaba a una temperatura de −56,5 grados. Y con fines ahorrativos, no todas las bodegas estaban climatizadas, lo que explicaba que las maletas a menudo estuvieran frías cuando se recuperaban en la cinta transportadora.

Si la bodega no estaba presurizada, aún tendría que preocuparse menos. La cabeza del ladrón explotaría en pedazos en su turbante en cuanto el avión despegara.

Gustave era, no obstante, un tipo precavido. En el caso de que su ladrón sobreviviera (se habían encontrado, congelados pero vivos, inmigrantes ilegales africanos y sudamericanos escondidos en el tren de aterrizaje de un avión), le prepararía un pequeño comité de bienvenida en Roma. Su primo Gino, peluquero de profesión, vivía en la capital italiana desde hacía unos años.

Pero primero hacía falta saber dónde se encontraba exactamente la maleta en la que el indio había decidido refugiarse, ya que Roma era un vasto terreno de juego. Para ello juzgó prudente delegar esa investigación a un aliado de calidad, su esposa. En efecto, como el joven español había señalado al descubrirla, la ropa de la que se habían deshecho parecía pertenecer a alguien rico o importante, o ambas cosas a la vez. Ahora bien, la mujer de Gustave, ávida lectora de las revistas del corazón, conocía a todas las personas ricas o importantes, o las dos cosas, del planeta Tierra. En menos tiempo del que hace falta para decirlo en el lenguaje de los sordomudos, ella le guiaría hacia la propietaria de la ropa como el péndulo del profesor Tornasol conduce a Tintín a las siete bolas de cristal.

El taxista consiguió más información de la que esperaba cuando le llevó a Mercedes Shayana, que estaba sentada en la terraza de un bar de la terminal con su hija, algunas muestras del montón de vestidos que habían encontrado.

—¡Por la gloria de la madre de Dios, la Virgen Santa! —gritó echando el ojo a un vestido negro cubierto de brillantes—. ¡No me digas que es el vestido de Sophie Morceaux!

La mujer había reconocido el vestido de gala escotado que la célebre actriz había llevado en la tan esperada subida de la escalinata del Festival de Cannes del pasado mayo.

Tomó las medidas con su pulgar y después con sus manos. Extendió el tejido delante de ella como una costurera profesional examinaría su último trabajo. La talla podría corresponder, sí. Y después de que su marido le explicara dónde había encontrado esos fabulosos vestidos, ella lo miró con aire de seguridad y satisfacción y anunció que aquella ropa podía fácilmente pertenecer a la estrella, por la vida de su hija que ligaba en ese momento con el chico.

—¡Esta ropa pertenece a Sophie Morceaux, por la vida de mi hija QUE FLIRTEA CON EL CHICO! ¡Oyeeee…!

Silbando, la mujer barrió el aire de un gran manotazo como para espantar las moscas, o a las jóvenes que flirtean delante de su madre.

—Bien, bien —dijo Gustave acariciando sus falanges llenas de anillos de oro—. Ahora, Tom Cruise Jesús, la pelota está en tu tejado.

—¿Mande? —dijo distraídamente el español, que acababa de escuchar su nombre.

Como trabajaba en la aviación, no sería demasiado complicado para el joven comprobar si la actriz francesa figuraba en la lista de pasajeros del vuelo hacia Roma, Fiumicino. Si era el caso, no sería tampoco demasiado complicado investigar el servicio de taxis VIP que su agente le habría reservado a su llegada. Sabría entonces dónde se alojaba la estrella durante su estancia y su trabajo terminaría ahí.

—¿Lo has entendido? —preguntó Gustave separando la mano del guaperas de la de su hija—. Si me das toda esa información, tendrás una recompensa —añadió mientras señalaba a Miranda Jessica haciendo un gesto con la cabeza.

—No debería ser muy complicado para mí —contestó el joven, encantado y motivado.

—Bien, bien. En cuanto sepas un poco más, vendrás a cenar a casa. Tenemos una casita de pescador en la Barceloneta.

Dicho esto, el taxista cogió el posavasos de la cerveza de su esposa y escribió una dirección.

—Hasta luego.

Las mujeres se levantaron y Gustave recogió su nevera.

—¿Puedo quedarme con todo esto, Gus? —preguntó Mercedes Shayana señalando el montón de ropa.

—Es un regalo, muñeca —respondió el gitano imaginando a su mujer con la lencería fina de Sophie Morceaux.

—Eres un amor, Gus. Ya verás cuando te pille…

Se puso uno de los vestidos, una especie de toga romana de color rosa, por encima de la bata floreada. Después de todo, iba con el color del pantalón de su chándal y de sus sandalias. ¡Qué estilo!, pensó.

Mercedes Shayana se veía ya en la playa, desfilando con los pies en la arena con sus nuevos vestidos.

Su hija planificaba cómo robarle los conjuntos sexis

para embrujar al guapo chico de las maletas español. Ya se había olvidado de Kevin Jésus.

Su marido se imaginaba agujereando al indio como a la masa de una tarta que no queremos que se infle.

Mientras tanto, Tom Cruise Jésus pensaba que más le valía hacer honor a su primer nombre en esta *Misión imposible* si quería ganarse los favores de la guapa rubia.

Sophie Morceaux no había tenido problemas para encontrar un nuevo vestido de noche. Se presentó a la cita, en el hall del hotel, con un vestido gris entallado y una discreta diadema con brillantes en su melena de color avellana.

Dhjamal, que rápidamente se había acostumbrado al lujo del gran palacio y que estaba ocupado en descifrar un periódico italiano, levantó sus ojos del color de la Coca-Cola hacia la joven. Chispearon como cuando se sirve la soda en un vaso.

—¡Está resplandeciente!

—Gracias. Usted tampoco está mal. Parece más joven sin el bigote. Sin embargo, debería haber lavado su turbante, está un poco sucio.

—Nunca me quito el turbante, ni siquiera delante de una dama —dijo el indio con aire de dandi inglés.

Pero pensó que quizá debería lavarlo antes de volver a ver a Marie. Nunca se sabe, a lo mejor todas las francesas pensaban igual y no quería dar una mala impresión a la que hacía latir su corazón como una banda sonora de Bollywood.

En ese momento, un europeo con cierto sobrepeso, envuelto en un amplio traje de lino blanco que le otorgaba un look improbable entre gurú de secta y conductor de ambulancias, entró en el hall y avanzó hasta Sophie Morceaux.

—Venga, Sophie, vamos a llegar tarde —lanzó en un idioma que el rajastaní no entendió pero que, aun así, identificó como francés.

—Hervé, te presento a mi amigo Dhjamal Mekhan Dooyeghas. *Dhjamal, let me introduce you to Hervé, my manager.*

El indio se inclinó hacia delante y apretó la mano del recién llegado. Una enorme manaza sudorosa y blandengue.

—¿«Jamás meando llegas»? —repitió el gordo francés preguntándose qué padres desalmados habían podido dar semejante nombre a su hijo—. ¡Un placer!

Acto seguido, cogió a su protegida por el brazo y la condujo hacia la salida sin hacerle mucho caso al hombre.

—¡Dhjamal viene con nosotros! —exclamó la actriz dándose cuenta de que su agente no lo había incluido en sus planes.

—Sophie, es una cena importante. Tenemos que hacernos con el papel de la próxima película de Beccassini.

—Por «tenemos» quieres decir «tengo» —rectificó Sophie Morceaux. Si sus ojos hubieran sido láseres, los kilos de grasa del agente francés se hubieran fundido más rápido que con el método Dukan.

El hindú, cuyo conocimiento del francés se limitaba a las pocas palabras que solía oír en la televisión india con ocasión de las fiestas de Navidad, como «*eau de toilette pour l'homme*», «*eau de toilette pour la femme*» o «*le nouveau parfum de Christian Dior*», no tuvo que sacar un diccionario para entender que era el centro de la pequeña disputa entre su protectora y su agente. Incómodo, fue hacia ellos y dijo en inglés:

—No se preocupen por mí, me quedaré en el hotel esta noche. De hecho, estoy agotado. El viaje en el baúl me ha matado. Y, además, anoche no dormí nada.

Hervé, que hablaba un poco la lengua de Shakespeare, no comprendió bien a qué se refería el hombre con «el viaje en el baúl». Probablemente se trataba de una expresión inglesa, pero no se fiaba un pelo, sobre todo viniendo de alguien que se llamaba «Jamás meando llegas». Cogió a Sophie aparte y le preguntó quién era ese indio y de dónde salía. A la primera pregunta, la actriz contestó que su amigo era rajastaní y que era un escritor genial perseguido en su país. A la segunda, que salía de su baúl Vuitton, pero que no le diera importancia porque no lo entendería.

El agente tuvo que hacerse a la idea de que el nuevo amigo de Sophie les acompañara. Era eso o verla irse a su habitación dejando pasar la oportunidad de conseguir el irresistible contrato que le iban a proponer. Sabía de sobra que era inútil insistir con las estrellas caprichosas.

Así, hacia las ocho y media de la tarde, el taxi los dejó delante de un imponente edificio de piedra devorado por una gigantesca hiedra trepadora y miles de flores sobre el que había una gran pancarta blanca y roja que anunciaba IL GONDOLIERE. Era un restaurante italiano, pero ¿qué restaurante no lo era en Italia?

Hervé anunció el nombre de Émilie Jolie al maître, este asintió con la cabeza como si se tratara de un código secreto que solo los iniciados podían conocer y los llevó a una bonita mesa al fondo de la sala, en una discreta esquina.

Cinco minutos más tarde, dos hombres excéntricos llegaron a la mesa. Dhjamal comprendió que uno de ellos, el más alto, se llamaba Mick Jagger-LeCoultre, una especie de rockero con las muñecas cubiertas de relojes. El otro, que parecía ser su agente, era un gordito de manos sudorosas y blandengues y se llamaba Steve. El indio miró alternativamente a Hervé y al recién llegado preguntándose si los managers de las estrellas estaban todas cortadas por el mismo patrón.

—Sophie, es un honor —dijo el gran rockero cogiendo la mano de la actriz y besándosela delicadamente.

Sus maneras refinadas no iban nada con el personaje. Vaqueros agujereados, piercings, pelo teñido de rojo, chaqueta verde desgastada. Algo entre un faquir y un payaso.

Cuando se volvió hacia el indio, la francesa lo presentó como un nuevo amigo.

—Magnífico —respondió el extravagante director de cine—. Y ¿cómo se han conocido?

—Bueno, estaba en mi maleta, así de simple.

Todo el mundo se rió.

—Supongo que no ha nacido en una maleta, señor «Cuando llegas»…

—Vengo del Rajastán.

Un viento de admiración sopló alrededor de la mesa.

—Realmente interesante. ¿Y a qué se dedica? —preguntó el agente de Mick Jagger-LeCoultre.

Dhjamal estuvo tentado de usar la palabra faquir, como tenía por costumbre, pero ya no era a lo que se dedicaba.

—Soy escritor.

—Y Dhjamal no es un escritor como los demás —añadió Sophie Morceaux—. Escribe novelas sobre sus camisas.

—¿Ah, sí? ¡Qué original! —lanzó el director de cine, a quien le gustaba la gente igual de extravagante que él—. ¿Y sus camisas son publicadas?

El indio sonrió.

—A decir verdad, acabo de empezar.

—¿No es formidable? Levantemos nuestras copas por esta gran carrera que empieza.

Todos cogieron su copa de champán. Dhjamal, su vaso de agua.

—¿Y tiene un editor?

—Hummm… No.

—Quizá podamos arreglar eso, ¿verdad, Hervé? —propuso Sophie pestañeando para engatusar a su agente.

Primero, reticente a la idea, el hombre reflexionó un instante para finalmente acceder, como siempre, a la demanda de su protegida.

—Vale, vale, conozco a alguien de Éditions du Grabuge. Páseme su manuscrito mañana por la mañana y se lo haré llegar.

—¡Súper! —exclamó Sophie brincando sobre su silla como una niña que acaba de conseguir lo que quiere.

El resto de la cena transcurrió apaciblemente, salvo la firma del importante contrato. Profiteroles de chocolate para algunos, tiramisú para otros, rechampán, reagua para el escritor revelación. Resumiendo, así fue como Dhjamal Mekhan Dooyeghas, conocido como «Doy el gas» por el más común de los mortales, faquir reconvertido en escritor, puso un pie en su nueva vida *people* y fue testigo de la firma de uno de los contratos cinematográficos más importantes de la historia. Y como uno no cambia del todo y siempre es difícil borrar toda una vida haciendo trucos de magia, nuestro hombre no resistió la tentación, entre el postre y el café, de doblar una cuchara con una simple mirada y de meterse un palillo de dientes en el ojo bajo la mirada medio asustada, medio divertida, de los comensales.

Acurrucado bajo las suntuosas sábanas de puro lino de su cama, Dhjamal lloraba como un niño. Ya está, la depresión que tanto temía. Tenía que aparecer un día u otro. Se había embarcado en un viaje incierto del que no veía el final, lejos de su casa y de los suyos y, por si fuera poco, un asesino rencoroso le pisaba los talones y reaparecía cada vez que la situación empezaba a tomar un buen rumbo.

Era demasiada presión para un solo faquir.

Levantó la vista hacia el techo. Un haz de luz entraba por encima de la cortina e iluminaba la pared de enfrente, en la que colgaba un cuadro de Jesús Capilla enmarcado en oro. Representaba un paisaje de campo. Dos campesinos, vestidos como en el siglo pasado, parecían recogerse ante una bala de paja.

El indio envidió la tranquilidad de los dos ancianos del cuadro. Su compañía era relajante. A pesar del anacronismo, le hubiera gustado estar a su lado, inmóvil y silencioso; mirar esa bala de paja toda su vida y nunca más sentir ese mal que se mete en la barriga. Sabía que el gitano nunca iría a buscarle allí, a ese campo. Y si por casualidad ocurriera, su amigo campesino le defendería con su gran horca.

Dhjamal se secó los ojos con una esquina de la sábana. Unos minutos después, calmado gracias al cuadro, a los sollozos y al cansancio, se abandonó en los brazos de Shiva.

A la mañana siguiente, Dhjamal se despertó sobresaltado hacia las nueve y media, sumergido en el sudor de una pesadilla en la que su primo Pawan Bhyen, transformado en tomate cherry, se asaba empalado sobre un pincho encima del fuego. A su alrededor, gitanos felices tocaban la guitarra y bailaban. Pawan Bhyen gritaba de dolor y nadie le hacía caso. Solo él parecía darse cuenta del sufrimiento de su primo, pero, teniendo en cuenta que él también se encontraba empalado en el mismo pincho bajo la forma de una vaca (sagrada), no podía hacer gran cosa por él.

El indio se frotó los ojos. Alabó a Buda por encontrarse en una lujosa habitación de hotel en Italia y no en una ensalada de tomate a punto de ser ingurgitada por unos gitanos hambrientos. Se acordó de que debería haber llegado a Nueva Delhi la víspera y que ni siquiera había avisado a Pawan Bhyen. Quizá estaba aún esperando en el aeropuerto, furioso o preocupado. Cuando volviera a casa terminaría sin duda en el extremo de ese pincho untado en aceite de oliva y ajo que había imaginado en su sueño, y serían los indios los que bailarían alrededor del fuego. Y esa idea no encantaba al escritor, por muy ex faquir que fuera.

Dhjamal marcó el número de recepción y pidió que lo pusieran en contacto con el teléfono fijo de Rehmalasha, que era el único que conocía. Su primo había cambiado tantas veces de móvil que el indio no había sentido nunca la necesidad de aprenderse los números de memoria.

Al cabo de unos tonos, la voz de la anciana resonó en el auricular. Rompió en sollozos cuando se dio cuenta de que se trataba de su pequeño Dhjam'. Se había preocupado tanto por él... Pero ¿qué le había pasado?

—Ayer tu... primo te esperó... toda la noche —balbuceó, ahogada en lágrimas—. Removió cielo... y tierra para saber qué te había pasado. En el aeropuerto consultaron la lista de pasajeros de tu vuelo... y le dijeron que no habías cogido el avión. ¿Por qué te has... quedado en París, hijo mío? ¿Estás bien?

Siempre le había hablado como a un niño pequeño, su hijo pequeño, una manera como otra de exorcizar el no haber podido tener hijos.

—Ya no estoy en París, Rehmalasha querida. Estoy en Roma.

—¿En Roma? —exclamó la anciana dejando de llorar de repente.

—Es una larga historia. Dile a Pawan Bhyen que estoy perfectamente, que me he convertido en un hombre honesto, en escritor, y que volveré pronto.

Esas últimas palabras confundieron a la anciana india. ¿Un hombre honesto, un escritor? ¿De qué hablaba? Dhjamal siempre había sido un chico honesto por lo que ella sabía. Estaba dotado, además, de poderes sobrenaturales que le habían hecho, desde niño, más especial aún. Pensó durante un instante que había perdido su don, lo que explicaría esta repentina e incongruente reconversión. ¿Escritor? ¿Y por qué no bailarín de fox-trot o jinete?

—No te preocupes —repitió el indio, que no sabía que pronunciar esa frase bastaba para preocupar aún más a la anciana.

Tras algunas palabras de consuelo, finalmente colgó. Sin soltar el auricular, volvió a llamar a recepción y pidió que le pasaran con el número francés con el que había intentado contactar en vano el día anterior. Al cabo de algunos tonos, la maravillosa voz de Marie se oyó al otro lado del teléfono.

—¿Dhjamal? ¿Eres tú?

Si el tuteo y el tratamiento de usted hubieran existido en inglés, Marie habría cambiado ahora al «tú».

—Sí, soy yo.

Al otro lado del teléfono, se hizo un silencio que duró varios segundos. ¡Se acordaba de él!

—¿Todavía estás en París?

—No. Estoy en Roma.

La respuesta pareció sorprender a la mujer. Para ella, solo había dos lugares donde podría encontrarse el rajastaní en ese momento, París o «Tarta al yogur», su pueblo de la India.

—¿En Roma?

—Imperativos profesionales —saltó Dhjamal, como si hubiera dicho esa frase toda su vida—. Te llamaba para decirte que...

Dudó como un adolescente que llama por primera vez

a una chica. El ritmo de los latidos de su corazón pasó de la música rap a la tecno y se sintonizó sobre la de Vivaldi.

—Me gustaría ir a París para volver a verte.

La flecha de Cupido fue a alojarse directamente en el corazón de Marie. El hombre había pronunciado cada palabra con una ternura que hizo chispear sus ojos. Se sonrojó, aliviada de que no se viera por teléfono. Acababa de rejuvenecer de golpe. «Para volver a verme», repitió ella. Era un poco tonto, pero nunca le habían dicho nada tan dulce, tan amable desde hacía años. Los jóvenes a los que conocía en las fiestas nunca querían volver a verla. Y, además, no eran tan dulces, tan amables. Eran animales salvajes que solo la deseaban para calmar las pulsiones de su testosterona juvenil.

—Me encantó nuestra conversación, nuestras risas, tus ojos —resumió el hombre con ternura—. Acabo unas cosillas en Roma y voy para allá. Hasta pronto —finalizó, incómodo.

Si había algo que Marie acababa de entender era que uno podía enamorarse a los cuarenta años de un desconocido al que había conocido en la cafetería de un Ikea. Quizá no era muy sensato, pero ¡qué bien sentaba! Nunca hay que dar nada por perdido. Un comprimido de Dhjamal valía más que todos los antidepresivos del mundo. Soltó el auricular, devorada por las llamas de un fuego salvaje.

Dhjamal colgó.

Fue consciente de que cuando llamó a recepción unos minutos antes para que le pusieran en contacto con Francia, no tenía la menor idea de lo que iba a decirle a Marie. Que estaba bien, que pensaba en ella. ¿Qué más? Solo cumplía con la promesa que se había hecho en la bodega del avión. Llamarla si sobrevivía. Eso era todo. No estaba acostumbrado a las conversaciones telefónicas, y menos aún con señoras.

Pero su corazón había hablado por él. «Acabo unas cosillas en Roma y voy para allá», se había oído decir. ¿Voy para allá? ¿Adónde? ¿A París? ¿Cuándo? Y, sobre todo, ¿cómo? No tenía ni idea. ¡De nuevo, palabras en el aire! ¡Mentiras!

¿Cómo iba a ir a París? «Acabo unas cosillas en Roma y voy para allá», había dicho como si fuera lo más normal del mundo, como si tuviera dinero para permitirse ese tipo de lujos. Planes de rico de alguien que ni siquiera tenía una rupia india en el bolsillo. Solo un bonito traje beis de marca.

Se vio sentado en la parte trasera de un cargamento de patatas, con su bonito traje, con ese pellizco en el estómago cada vez que el camión frenara. Debía de haber un medio mejor.

Bueno, ya se verá más tarde.

Barrió esos pensamientos de su mente, se tumbó sobre la cama y puso el canal de deportes.

Marie, por su parte, soltó el teléfono, como ya habíamos dicho, devorada por las llamas de un fuego salvaje, frase que no quiere decir gran cosa pero que tiene una fuerza literaria metafórica muy eficaz, y esta última frase, además, un trabalenguas con «f» nada despreciable.

Miró fijamente la pared durante unos instantes sin decir nada.

—¿Va todo bien, Marie?

La mujer se giró hacia el yogurín de veinticinco años al que, unas horas antes, había encontrado oportunamente en la sección de yogures del supermercado del barrio. Estaba tumbado en su cama, con un cigarro en la boca, el ceño fruncido, concentrado en su interpretación de James Dean después de hacer el amor.

—Vete a casa, Franck.

—Benjamin —rectificó el joven.

—Vete a casa, Benjamin.

Debía de estar acostumbrado a ser echado de la cama de sus conquistas femeninas, puesto que se levantó y se vistió sin chistar, con el cigarro en la boca y el ceño aún fruncido.

Cuando por fin estuvo sola, Marie arrancó las sábanas

de la cama y las tiró al cesto de la ropa sucia. A veces se daba asco. ¿Cómo había recaído? Seguramente la soledad, las ganas de gustar. Pero esos jóvenes con los que picoteaba de vez en cuando no le llegaban a Dhjam' ni a la suela del zapato. Él era un hombre de verdad. Un salvaje de labios perforados. Bigotudo, con una mirada del color de la Co-ca-Cola y la piel mate. «Cuando estoy con él me siento como una niña pequeña. Nunca me he sentido tan protegida como en la cafetería de Ikea. Quizá me esté agarrando a un clavo ardiendo (lo que sería lógico tratándose de un faquir), quizá solo sea una ilusión, una quimera. Pero ¿por qué no? Si tengo ganas de creer en ello. Él es diferente. Puede que tengamos más cosas en común de lo que las apariencias quieren hacernos pensar.»

Bueno, ya se verá más tarde.

Barrió esos pensamientos de su mente, se tumbó sobre la cama y puso el canal de deportes.

A mediodía, Dhjamal bajó a la recepción. Al volver del restaurante la noche anterior, había subido a su habitación y había terminado de copiar su manuscrito para dárselo a Hervé inmediatamente. A esas horas, el francés ya se lo debía de haber enviado al editor, que se encontraba en Roma aquella semana.

Sophie Morceaux lo esperaba leyendo un libro en francés cuyo título Dhjamal no comprendió puesto que no contenía las palabras «*eau de toilette*», «*homme*», «*femme*», «*nouveau parfum*» ni «*Christian Dior*», pero sobre el que había escrito algo como *Les lapins glapissent lugubrement sur la route les matins d'hiver*,* de una tal Angélique Dutoit Delamaison. Al notar su presencia, la joven levantó la mirada y deslizó un marcapáginas de un bonito papel acartonado de color rojo donde acababa de interrumpir su lectura.

—Cambio de planes, Dhjam'. Comeremos juntos un

---

* Los conejos cuchichean lúgubremente en la carretera las mañanas de invierno.

poco más tarde. El representante de Éditions du Grabuge quiere conocerte.

—¿Cuándo?

—Ahora mismo —contestó la actriz señalando con su fino dedo el bar del hotel.

Hervé estaba degustando un cóctel con otro hombre.

—Ya me contarás —añadió ella con una gran sonrisa.

El escritor recorrió los pocos metros que lo separaban de los dos hombres. ¿Por qué el editor quería verlo tan rápido? ¿Había tenido tiempo de leer su manuscrito?

—¡El gran «Ya me quedan dos leguas»! —anunció Hervé levantándose.

—¿«Di a Mamen cuándo llegas»? —preguntó el otro hombre tendiendo su mano firme—. ¡Qué nombre tan bonito!

—Me llamo Dhjamal, pero usted puede llamarme Marcel, si es demasiado complicado.

—Yo soy Gérard François, el típico nombre francés, vamos —continuó el editor en un inglés perfecto—. Nada original al lado del suyo... Bueno, he leído su novela, en fin, su novelilla, porque es bastante corta. Parece ser que la ha escrito sobre su camisa. Debería haber continuado por el pantalón... Sea como sea, me ha gustado mucho.

Los tres hombres se sentaron. Gérard François no se parecía a ninguno de los agentes que Dhjamal había visto hasta entonces. En realidad no tenía nada que ver con ellos. No era gordo ni le sudaban las manos. Era un hombre alto y atlético. Unos bonitos ojos azules iluminaban su armonioso y bronceado rostro de monitor de esquí. A pesar del calor, llevaba un elegante traje de marca y corbata.

—Sin embargo, hay una cosa que me entristece: el final. Cambie el final —añadió con el tono de un hombre acostumbrado a dar órdenes y hacerse respetar—. Porque yo ya conozco esa historia, pero en un hospital.

Los guapos se hacen respetar más que los feos, pensó el indio. Desprenden una especie de atracción natural. Suscitan la admiración y la envidia de los demás. Es una especie de manipulación, de hipnosis sin truco. Se les escucha porque a su lado uno se siente poca cosa.

—Es gracioso —añadió Hervé, que no había podido resistir la tentación de leer el manuscrito antes de pasárselo al editor—, yo conozco la misma historia, pero en un monasterio.

—Situar la acción en una prisión esrilanquesa es inédito hasta ahora, lo admito, pero cambie el final, se lo suplico. Porque lo de que la ventana da a una pared se espera desde la tercera página de su relato. Y teniendo en cuenta que solo tiene cuatro… ¡No deja mucho espacio para el suspense!

Dhjamal acababa de darse cuenta de que la historia que había nacido en su cerebro había germinado en el cerebro de otro antes que en el suyo. Sintió lo mismo que el inventor del hilo para cortar mantequilla había sentido cuando dio con el inventor del hilo para cortar arcilla, inventado varios cientos de miles de años antes.

—Encuentre otro giro inesperado para el final —propuso amablemente Hervé, entristecido por el aspecto desconcertado del escritor novel—. No sé, por ejemplo, que finalmente el ciego no es ciego. O que no está en la cárcel, que lo ha soñado todo.

—Eso está demasiado visto —dijo el editor—, es demasiado común. Necesitamos un final inesperado. Pero estoy seguro de que nuestro escritor dará con una excelente idea, ¿no es cierto, «Ya me ha marcado yeguas»? Después de todo, tiene una gran madrina… Ah, Sophie, Sophie… Bueno, centrémonos, puede que esto le inspire.

Acto seguido, sacó unos papeles.

—Hoy vamos a firmar un contrato y tendrá un adelanto para que pueda trabajar en las mejores condiciones. Háganos soñar, señor «Ya me comí dos yemas». ¿He pronunciado bien su nombre?

—¿Un adelanto? —preguntó Dhjamal, a quien le importaba un pimiento cómo el hombre pronunciara su nombre aunque lo había hecho fatal, por cierto.

—Sí, dinero para cubrir sus gastos hasta que haya terminado, un adelanto de las ventas —explicó el guaperas—. ¿Tiene una cuenta bancaria?

—Hum, no.

—Lo imaginaba… Por eso me he tomado la libertad de anticiparme.

Como un mago, hizo aparecer de debajo de la mesa un pequeño maletín negro.

—Bueno, pongámonos de acuerdo sobre la cantidad. ¿Cincuenta mil euros le parece bien? —dijo el hombre, seguro de sí mismo, con una gran sonrisa de satisfacción, repiqueteando con sus dedos finos y bronceados sobre el maletín negro.

—Cincuenta mil —repitió Dhjamal, dubitativo.

La sonrisa del guaperas desapareció.

—¿Qué? ¿No le parece suficiente? Bien, entonces setenta mil.

El indio no dijo nada.

—¡Es usted duro en los negocios, señor «Dos leguas»! ¿Noventa mil?

Una vez más, el escritor novato no reaccionó.

—¡Vaya con el señorito! ¿Te crees Marc Levy?

La cara del antiguo faquir se iluminó.

—¿«Marc Levita»? ¿Un mago?

—Sí, un mago que transforma las páginas en oro. Bueno, vale, cien mil euros, última oferta.

—Ok —dijo Dhjamal, impasible.

Una sonrisa de vencedor apareció sobre la cara bronceada del editor.

—¡Disimula tu felicidad! Cien mil euros de adelanto para un escritor novel… un pequeño genio, sí, que escribe sobre sus camisas, pero un escritor novel al fin y al cabo. En fin, creo que es una bonita suma. Sabía que aceptaría cien mil. Por eso encontrará esa cantidad, ni un euro más, ni un euro menos, en este maletín que he preparado en consecuencia.

En realidad, este pequeño juego hubiera podido durar mucho tiempo, puesto que nuestro faquir arrepentido no tenía la menor idea de lo que representaba tal suma en euros, de ahí la falta de reacción manifiesta.

Al cabo de un momento, pareció reaccionar y una gran sonrisa se dibujó en su cara. Seguro que le llegaba para un billete de avión a París. Incluso tal vez podría también comprarle un ramo de flores a Marie.

El hombre le entregó el contrato. Aunque estuviera escrito en inglés, Dhjamal firmó sin leerlo, mientras ya se imaginaba llegando a casa de la francesa con su ramo en la mano. ¡Sorpresa!

—Estoy feliz de que hayan llegado a un acuerdo —dijo

Hervé—. «Día mal» —continuó dirigiéndose a Dhjamal—, solo le queda retrabajar el final del libro. En cuanto al dinero, es mucho dinero en efectivo. No abra el maletín aquí, hágalo en su habitación, a solas. Las calles y los hoteles de Roma no son seguros. Tendrá que ingresar el dinero en un banco. Nos encargaremos de eso por la tarde, si no le molesta.

Los dos hombres se levantaron y se marcharon. Una vez solo, el indio se levantó, con el maletín en la mano, y se acercó discretamente a la recepción. Detrás del mostrador, un cartel luminoso actualizaba el valor de todas las divisas en tiempo real. Esa mañana, 1 euro valía exactamente 67,8280 rupias indias.

El cálculo fue rápido.

—¡Seis millones setecientas ochenta y dos mil ochocientas rupias! —dijo asombrado Dhjamal en su idioma, sin dar crédito a sus ojos.

Con esta suma, no solo podía comprar un billete Roma-París y un gran ramo de flores, sino también el avión, la tripulación y toda la tienda de flores. Tenía ahí, contra su pecho, mucho más dinero del que hubiera podido ganar en diez reencarnaciones.

Apretó fuerte el maletín contra su pecho y corrió hasta el ascensor, pasando sin darse cuenta delante de la mirada extrañada de Sophie, que lo esperaba para comer.

Dhjamal Mekhan Dooyeghas estuvo dando vueltas en su habitación unos minutos como un perro que no se decide a acostarse. Él no conseguía decidir dónde esconder tal cantidad de dinero. Por su experiencia como ladrón, sabía que ningún lugar del mundo era realmente inviolable y menos aún la habitación de un hotel italiano. Sabía que un caco era capaz de encontrar un maletín lleno de billetes de banco y desaparecer con él en menos de cinco minutos.

Entonces decidió que lo más sensato era no perderlo de vista y que su muñeca era el lugar más seguro.

Al entrar, había echado un vistazo al contenido del maletín solo para comprobar que fuera verdad, para ver que no le hubieran estafado, que no le hubieran mentido. Pero no. Estaba lleno a reventar de fajos de bonitos billetes violetas. Auténticos billetes de 500 euros, impresos por los dos lados, ¡sí, señor!

Bien, y ahora ¿qué hago?, se preguntó. ¡No iba a cargar con el maletín por todas partes! Sophie lo esperaba para comer. Quizá era más juicioso que ella subiera y que comieran en la habitación. Sí, eso sería más seguro.

Descolgó el teléfono, llamó a recepción y pidió al empleado que le dijera a la joven guapa que leía en el salón de la entrada que subiera a la habitación 605.

Diez segundos después, llamaron a la puerta.

¡Qué rapidez!

—¡Peluquero para hombres! *Hairdresser!* —gritó una voz nasal al otro lado de la puerta.

A menos que se hubiera resfriado y que se hubiera hecho peluquera desde la última vez que la había visto, no parecía ser la bella actriz.

—*Sorry?*

Dhjamal no conocía las costumbres locales, pero le pareció raro que un hotel, y más de esa categoría, llamara a los clientes a gritos por los pasillos para proponerles los servicios de un peluquero. De todas formas, todo se vuelve raro y sospechoso cuando uno tiene un maletín con cien mil euros.

—No me interesa.

—Tiene que firmar el recibo que acredita que he pasado.

¿Un recibo? Parecía serio. No iba a sospechar de un peluquero…

—¿Dónde quiere que firme? —preguntó el indio, crédulo, abriendo la puerta.

—Eso es, firme te voy a poner —corrigió el hombre menudo y bronceado.

Acto seguido, el desconocido lanzó un pie hacia delante para bloquear la puerta y sacó una navaja automática del bolsillo de su pantalón de pinzas barato. Los peluqueros ya no son lo que eran…

—Lo siento, lo he dejado —dijo irónicamente el ex faquir enseñando su antebrazo cubierto de cicatrices.

Pero, en realidad, estaba más que asustado.

—Tengo un mensaje de Gustave —añadió el hombre en un inglés con un pronunciado acento italiano.

Su rostro, su físico singular y la manera de vestirse le recordaban al taxista francés.

—¿Gustave? No sé de quién me habla.

La respuesta no pareció del gusto del italiano, que se abalanzó hacia él navaja en mano. Dhjamal dio un salto hacia atrás, lo que le permitió esquivar el arma, pero también permitió a su agresor entrar en la habitación. Acordándose de su último altercado en Barcelona y, más concretamente, del golpe de nevera que había recibido en plena cara, el indio decidió repetir el gesto del gitano y tiró el maletín a la nariz del italiano. El peluquero pagaría por el taxista. La cabeza del hombre se aplastó ruidosamente contra las puertas del armario empotrado de la entrada.

La vía estaba libre. Pero apenas durante unos pocos segundos, justo el tiempo para que el gitano se repusiera del golpe. Dhjamal aprovechó para salir. Se precipitó por las escaleras de emergencia y las bajó de cuatro en cuatro, como si le persiguiera un tipo que quisiera transformarle en colador indio, lo cual no era del todo mentira.

Llegó al hall del hotel, ignoró el curso actual de la rupia india y corrió a toda velocidad hacia la salida, pasando, una vez más sin darse cuenta, delante de la mirada atónita de la guapa Sophie, que aún lo esperaba para comer.

En ese momento, Sophie Morceaux observó atónita cómo Dhjamal se daba a la fuga con un maletín en la mano. Como Hervé acababa de anunciarle la buena noticia, o sea, los cien mil euros de adelanto, ella supuso que su nuevo amigo se estaba escapando con el maletín (lo que no era tan raro viniendo de un rey del escapismo). Y eso le sentó como una patada en el estómago. Su concepto de la amistad y de la confianza acababa de hacerse añicos. ¿Cómo podía hacerle eso? Lo había acogido, le había ofrecido una habitación, un bonito traje, su afecto y su tiempo y le había encontrado un editor en un abrir y cerrar de ojos (verdes).

Suspiró. Después de todo, ese hombre no era más que un polizón, un ladrón que vivía de pequeños delitos. ¿Qué esperaba? Aunque la vaca (sagrada) se vista de seda, vaca (sagrada) se queda. Se sentía traicionada, tirada como un pañuelo usado, y se prometió ser más cautelosa con el siguiente hombre que saliera de su baúl Vuitton. ¡Se acabó! Tiró al suelo con rabia su ejemplar de *Les lapins glapissent lugubrement sur la route les matins d'hiver*, de Angélique Dutoit Delamaison, y fue a encerrarse a su habitación.

En ese momento, Gérard François se abría camino con su Vespa entre el terrible tráfico de Roma. En la maleta trasera llevaba el contrato firmado por el insólito escritor. Ya veía el best seller sobre las estanterías de las más importantes librerías, traducido a treinta y dos idiomas, entre ellos incluso el ayapaneco, antiguo dialecto mexicano que solo hablan dos personas en el mundo, que por cierto no saben leer.

En ese momento, Dhjamal corría hacia el parque que había divisado desde la ventana de su habitación. Nunca había corrido tan deprisa. También era la primera vez que lo hacía con un maletín que contenía cien mil euros.

En ese momento, Hervé había vuelto a su habitación y bebía el último sorbo de whisky de la botellita que acababa de coger del minibar. Bebía para olvidar, pero en vano. Recordó las manos de Gérard François, su piel dorada, sus labios carnosos y húmedos. ¿Por qué sus amigos más guapos eran heterosexuales; guapos, pero sobre todo amigos?

En ese momento, Gino bajaba corriendo, navaja en mano y un poco atontado, las escaleras del hotel detrás de ese indio que había robado y ridiculizado a su primo y que estaba a punto de reincidir, esta vez con él.

En ese momento, Dhjamal aún estaba corriendo.

En ese momento, el comandante Aden Fik (¿y quién narices es este ahora?), al timón de su barco de mercancías con bandera libia, bordeaba las costas italianas a la altura de Lido di Ostia (no consagrada), satisfecho de volver a su casa después de tres meses fuera.

En ese momento, Gustave Palourde hablaba, alrededor de un buen pollo al ajillo, un *pollastre a la cassola*, con el padre del joven encargado de los equipajes barcelonés sobre el matrimonio que iba a unir a sus respectivos hijos y, por consiguiente, a sus familias.

En ese momento, Miranda Jessica Palourde, en breve señora Miranda Jessica Tom Cruise Jesús Palourde Cortés Santamaría, dejaba en su plato un muslo de pollo y se lamía los dedos sensualmente mientras miraba a su futuro marido, sentado frente a ella.

En ese momento, Mercedes Shayana Palourde derramaba unas lagrimitas y decidía regalar a su hija la lencería sexy de Sophie Morceaux para la noche de bodas.

En ese momento, Tom Cruise Jesús Cortés Santamaría estaba perdido contemplando a su futura mujer, que se lamía sensualmente los dedos mientras se comía el muslo de pollo. Si hubiese sido hindú, habría sabido enseguida en qué animal le hubiera gustado reencarnarse.

En ese momento, Dhjamal no paraba de correr.

En un antiguo dialecto rajastaní, «Dhjamal» significaba «el hombre cuyo enemigo no ha nacido». Pero había empezado a deshonrar su nombre y, a aquellas alturas, Dhjamal ya acumulaba a unos cuantos enemigos.

Cuando levantó la vista del camino de piedra en el que se había metido al entrar en el parque de la Villa Borghese, el indio se dio cuenta de que se encontraba en medio de un claro circular.

Echó un vistazo a la izquierda, luego a la derecha. Al descubierto, no tenía escapatoria. Pero no era el final de su carrera. A unos metros de allí, aprovechando la zona despejada, los italianos habían instalado una especie de globo aerostático. Era de color azul y estaba decorado con unos motivos clásicos dorados.

Unos metros más abajo, atada con finas cuerdas como miles de hilos de oro, una cesta anclada al suelo oscilaba ligeramente al antojo del viento. En realidad, era la primera vez que Dhjamal veía semejante aparato con sus propios ojos. Había visto uno en la película *Cinco semanas en globo*, basada en la novela homónima de Julio Verne.

Cuando el globo se elevara permitiría a los turistas tener una visión panorámica de la capital romana por el módico precio de 5 euros.

Por suerte, la cesta estaba aún en el suelo y algunos turistas hacían cola para subir. No había nadie en la cesta y el guía estaba ocupado vendiendo tíquets.

Dhjamal se volvió y vio que el gitano estaba llegando. Había guardado su arma en el bolsillo para no levantar sospechas, pero el indio estaba convencido de que, una vez le alcanzase, no tendría reparo en sacarla y agujerear a su enemigo como a un muñeco vudú delante de todo el mundo. Esa perspectiva habría encantado a nuestro ex faquir si hubiera formado parte de uno de sus espectáculos, pero sin navaja de hoja retráctil y varios cómplices, la escena perdía extrañamente su interés.

Visto y no visto, el rajastaní se metió de un salto en la cesta metálica.

El guía lo vio y gritó: «¡Eh!».

Los turistas lo vieron y exclamaron: «¡Oh!».

Gino lo vio y gritó: «¡Ah!».

Dhjamal tenía razón. Con o sin testigos, el gitano italiano no dudó en sacar la navaja automática de su bolsillo y la esgrimió delante de él para dar el estoque final. Solo una reja separaba ahora la punta del arma del vientre del indio. Sin aliento, el indio cerró los ojos y dobló su torso con las manos sobre las rodillas para retomar aire. El viaje se acaba aquí, pensó. Su última visión fue la del cuadro colgado en la pared de su habitación de hotel. Ya no soñaba con la paz y la tranquilidad y se sorprendió queriendo reencarnarse en bala de paja en un apacible campo.

Cuando Dhjamal abrió los ojos, se dio cuenta de que seguía vivo y que no se había transformado en una bala de paja. Había cerrado los párpados en el mismo momento en que el hombre había lanzado su navaja hacia su estómago, pero, instintivamente, el hindú se había echado hacia atrás, había tropezado con algo y se había caído a lo largo del suelo frío de la cesta.

Se quedó unos segundos en esa posición, encontrándola mucho más cómoda que estar de pie frente a ese asesino que quería matarlo por cien euros y quizá robarle un maletín que contenía cien mil. Era la segunda vez en dos días que usaba la técnica de hacerse el muerto. Empezaba a ser una costumbre, una auténtica táctica de guerra.

Así que, cuando pasaron unos minutos sin que el gitano, el guía o los turistas treparan a la cesta, Dhjamal se incorporó y se quedó sentado, inmóvil. Se dio cuenta de que la cosa con la que había tropezado solo era una nevera grande y que había otros muchos obstáculos en el suelo como, por ejemplo, el tirador de una trampilla y unas bombonas de gas de color amarillo.

El indio se arrodilló y echó un vistazo con cautela a través de la rejilla. El asesino a sueldo había desaparecido, así como el guía y los turistas. Todo había desaparecido, los árboles que rodeaban el claro del parque, el parque mismo, las casas, el hotel, la ciudad de Roma, la Tierra. Todo. Alrededor de la cesta se extendía, hasta perderse de vista, papel pintado azul y decorado con unas nubecitas blancas. O sea, el cielo.

El globo aerostático se había liberado de su amarre y, libre por primera vez en su larga carrera turística, se había elevado hacia las alturas.

El escritor se asomó con cuidado. Debajo de él colgaba la cuerda que, unos minutos antes, ataba la nave al suelo y que alguien había cortado con un cuchillo. El indio no había muerto, pero ¿acaso era mejor encontrarse perdido en el infinito del cielo a merced de una máquina diabólica que no sabía cómo funcionaba? ¿No era simplemente una forma de atrasar una muerte inevitable y mucho más cruel que la de ser atravesado por decenas de navajazos en tierra firme?

El taxista parisino no era lo bastante humano como para desear una muerte rápida a su enemigo. Sin duda había encargado a su hombre de confianza que lo matara lentamente. Y este, viendo el globo, había encontrado la más cruel de las torturas.

Dhjamal no tenía vértigo, gracias a Dios (o a Buda…). Pero ver desfilar los tejados de las casas tan pequeños como maquetas y los turistas tan grandes como hormigas en sandalias haría temblar hasta al más zen de los budistas.

Si no hubiera habido viento, el globo se hubiera quedado encima del claro del parque de la Villa Borghese. En lugar de eso, llevado por el soplo de Eolo, navegaba hacia un destino desconocido. Se encontraba a ciento cincuenta metros y, a aquella distancia, uno podía divisar los límites de la ciudad, los campos que rodeaban Roma y los reflejos plateados. Era precisamente hacia esos reflejos nacarados adonde se dirigía el globo a unos quince kilómetros por hora. Y pronto Roma no fue más que un recuerdo, un diminuto punto en el horizonte. Otra vez me quedaré sin visitar la ciudad, pensó Dhjamal.

Sobre el indio había una apertura parecida a la boca de un pulpo por la que se podía ver el interior del globo. En la película *Cinco semanas en globo* había visto que hacía falta manipular de vez en cuando una manivela para echar llamas, o gas. Era el principio físico del aire que se calienta y se eleva por encima del aire frío llevando con él al aerostato en su carrera. Entonces buscó la manivela, la encontró y la accionó. Como un dragón iracundo, una gigantesca llama se escapó del depósito de combustible antes de desaparecer en las tinieblas de aquella garganta profunda.

Igual que hacía dos siglos, el globo actual no se pilotaba. Volaba a su antojo, al antojo del viento. El aeronauta sabía por tanto de dónde despegaba, pero nunca dónde aterrizaría. Ese era el encanto de los viajes en globo.

Aunque la duración media de un vuelo sea de unos sesenta minutos, la autonomía del aparato, dependiendo de la cantidad de gas a bordo, es técnicamente de dos, tres o incluso de varias horas. Sabiendo que en una hora un dirigible recorría de diez a veinte kilómetros de media, solo hicieron falta tres horas para que Dhjamal alcanzara el Mediterráneo, momento en que la reserva de gas eligió agotarse y llevar al aerostato a una inevitable caída hacia las profundas aguas del mar.

El ex faquir no pudo hacer nada para impedir la fatalidad. Solo pudo ser testigo de su descenso hacia la superficie amenazadora del agua. Ya está, iba a morir. Ahogado, porque nunca había aprendido a nadar. De todas maneras, ¿de qué le habría servido? La costa se alejaba cada vez más. Habría dado algunas brazadas torpemente y luego se habría hundido como una piedra hacia el fondo del mar.

Su viaje terminaba ahí. Todo eso para nada.

Esa bonita superficie azul, de apariencia inocente, era su línea de llegada. Pero pronto su bonito color azul pasaría al rojo puma y después al rojo sangre. Existía, pues, algo más terrible aún que el síndrome del camión que frena y luego se detiene: el del globo que frena y luego cae al agua.

Se animó y buscó un chaleco salvavidas, pero no lo encontró. El globo estaba destinado en principio a la subida y bajada en el mismo punto sobre Roma. En la nevera contra la que había chocado encontró dos latas de soda, inútiles en aquellas circunstancias. Intentó abrir la trampilla del suelo, pero casi se desmayó al darse cuenta de que sus pies descansaban sobre el vacío. La cerró enseguida y esperó, resignado.

Esperó hasta que la cesta se posó lentamente sobre el agua y empezó a hundirse. A su alrededor se extendía la inmensidad del mar. En unos minutos, estaría encerrado en una jaula metálica bajo el agua. En unos minutos, estaría muerto. Dhjamal Mekhan Dooyeghas desaparecería de la faz de la Tierra. Su último truco.

Miró la gran extensión azul. Debía de haberse cobrado

muchas vidas. Pescadores, navegantes solitarios, aviadores que se habían quedado sin combustible, inmigrantes ilegales muertos de frío en sus barcos de mala muerte, esos cientos de inmigrantes ilegales subsaharianos de los que le había hablado Mohamed en el camión y que desaparecían cada año entre Libia y las costas italianas sin haber podido alcanzar la tierra prometida siendo su única culpa la de no haber nacido en el lado correcto del Mediterráneo. Pues bien, moriría como ellos, tragado por el agua fría. Un cuerpo más para esa asesina hambrienta.

Entonces fue cuando se dio cuenta de que si desaparecía, el mundo lo recordaría como un estafador, un ladrón, un hombre que había dedicado su vida a recibir de los otros sin haber dado jamás nada a nadie. Un egoísta. Sin embargo, ¿estaba preparado para enfrentarse al Juicio Final con ese peso sobre su conciencia? «Tu currículo no es muy brillante», le diría Buda jugando con los largos lóbulos de sus orejas.

No, no debía morir. Ahora no.

No sin haber ayudado a alguien antes. No sin haber demostrado antes, a los demás y a sí mismo, que había cambiado.

Y por otro lado estaba Marie. No podía morir sin haber conocido el amor. No era serio.

En unos segundos, toda su conversación con la francesa le vino a la mente como una película que pasa a cámara rápida. Volvió a ver a su primo, a su madre adoptiva… Todos los buenos momentos que había vivido en su compañía… Luego pasaron los menos buenos: el hambre, la violencia, esos hombres que se inclinaban sobre él babeando, esas manos sudorosas que lo agarraban, esas serpientes que lo mordían… Su vida entera desfiló ante sus ojos. Esa corta vida tan llena pero a la vez tan vacía. No, no podía presentarse decentemente ante Buda de esa manera. Seguramente lo reencarnaría en un tomate cherry al extremo de un pincho. Nada que ver con la tranquilidad de una bala de paja en el campo.

Pero ¿qué podía hacer para no perecer? La situación era bastante comprometida. Consciente de la amenaza que se cernía sobre él, Dhjamal se arrodilló en la cesta, en la que empezaba a entrar agua, y se abrazó al maletín. Ese maletín lleno de dinero que ya no le serviría de nada. Prueba de que, como reza el dicho, el dinero no da la felicidad.

El comandante Aden Fik nunca había visto una boya tan grande, tan azul y tan alejada de las costas como la que estaba viendo ahora mismo desde su puesto de mando. Como hombre sabio y pragmático que era, concluyó que no podía ser una boya.

¿Qué podía ser entonces?

¿Un globo meteorológico que había caído del cielo? ¿La seta de la estrella misteriosa de Tintín? ¿Un globo con un indio a bordo y un maletín con cien mil euros?

Fuera lo que fuese, era algo extraño e inédito, y eso le daba mala espina. Podría tratarse de unos piratas que querían tenderle una trampa. Hizo acelerar los motores para que su embarcación se acercara lo más rápido posible.

Aden cogió los prismáticos y oteó el OFNI, Objeto Flotante No Identificado. Reconoció enseguida un globo aerostático. Pero donde debería encontrarse la cesta, solo estaba la superficie opaca del agua. La cabina parecía haberse sumergido por completo con todos sus ocupantes.

Una vez descartada la teoría de los piratas, el comandante llamó a uno de sus oficiales y le ordenó que echara un bote al mar con dos hombres para efectuar un reconocimiento de la zona. Había que actuar rápidamente. Por supuesto, Aden prefería subir a bordo a personas vivas antes que a cadáveres. No era humanista. Siempre podría sacar algo de un vivo. Los muertos no valían nada.

Su orden fue ejecutada.

Veinte minutos después, los hombres volvieron al barco acompañados por un indio alto y delgado como un árbol seco, en este caso mojado, con un turbante blanco en la cabeza. Llevaba en una mano la manta térmica plateada que le habían echado sobre los hombros, y en la otra, un maletín negro que no parecía tener muchas ganas de soltar.

—Soy el comandante de este buque —anunció con orgullo Aden Fik en inglés y aliviado de tener delante a una persona viva a quien poder sacar alguna información—. Es una suerte que hayamos pasado por el lugar adecuado en el momento adecuado. ¿Qué le ha sucedido?

Dhjamal se presentó y le contó que estaba participando en una carrera de globos en Roma cuando un viento desfavorable le había desviado peligrosamente hacia el mar. Agotadas sus reservas de gas, no había tenido otra opción que aterrizar sobre el agua. Si no hubieran aparecido, se habría ahogado.

—En ese caso, bienvenido al *Malevil*. Imagino que lo que más desea es volver a Roma y retomar su vida —añadió el marinero sin dejar de mirar el enigmático maletín negro del superviviente—. Sin embargo, debido a nuestra apretada agenda, nos es imposible acercarnos a la costa. Tendrá que volver a nado, lo que me parece algo complicado con un maletín en la mano, o quedarse con nosotros hasta el destino final, señor «Llaman y me dan dos lenguas». Pero en ese caso tendría que pagar, ¿entiende? La vida tiene un precio… Al contrario que la muerte.

Las últimas palabras hicieron temblar a Dhjamal. ¿En qué lío se había metido ahora? Quizá hubiera sido mejor ahogarse cuando aún estaba a tiempo.

—¿Y adónde vamos exactamente? —preguntó esforzándose por no mostrar su miedo.

Pero el tembleque de su brazo contra el maletín empezaba a dar la nota. Parecía un percusionista brasileño en pleno carnaval de Río.

El comandante señaló el escudo rojo, negro y verde cosido en su camisa.

—¡A Libia, por supuesto! Ahora dígame: ¿qué hay en ese precioso maletín?

Cuando el *Malevil* atracó en el puerto de Trípoli, a las dos de la tarde del día siguiente, Dhjamal recorrió el puente que le condujo a tierra firme. Con quince mil euros menos pero aliviado.

La travesía le había costado bastante cara. Aunque podía haber sido peor. En el barco había estado a merced del humor de los libios. Después de todo, el comandante le hubiera podido coger todo su dinero antes de tirarlo (a él, no al dinero) por la borda, visto y no visto. En definitiva, se había librado de una buena.

Libia vivía un período de revueltas sin precedentes y todo el mundo quería dinero, incluso los comandantes de barcos de mercancías. De hecho, sobre todo ellos, que a veces incluso se prestaban al transporte de inmigrantes ilegales subsaharianos o de otras nacionalidades a Italia para ganarse un dinerillo extra. Cuando las patrullas italianas se acercaban, los traficantes a veces echaban a los inmigrantes ilegales al agua, supieran o no nadar. Así, los italianos estaban forzados a socorrerlos y llevarlos a sus costas mientras los criminales volvían impunes a Libia con el fin de preparar la siguiente travesía.

Nueve meses después del derrocamiento del coronel Gadafi por las fuerzas de la OTAN, el país era aún escenario de horribles reyertas, de la violación constante de los derechos humanos (y de las mujeres...). Así que había que entender a esos pobrecitos traficantes. Cuando tenían la oportunidad de salvar a un indio y su maletín con cien mil euros en alta mar, no la dejaban escapar tan fácilmente. ¡Cómo no contribuir al bienestar de los ciudadanos libios, que ahora vivían uno de los períodos más oscuros de su historia!

Se preguntarán entonces cómo hizo nuestro indio para salvar su pellejo por solo quince mil euros cuando en su maletín había una centena de miles.

Cuando uno sabe convertir agua en vino con cápsulas de colorante hábilmente disimuladas en la palma de la mano, cuando uno sabe doblar tenedores de metal «termofundible» con una sola mirada y unas caricias, cuando uno sabe clavarse un pincho de brocheta en una lengua falsa que mantiene entre los dientes, es capaz de librarse, con un poco de picardía, de todos los apuros en los que se mete.

Así que cuando el comandante, pistola en mano, pidió amablemente a Dhjamal que abriera su maletín de ministro, el náufrago no encontró nada que objetar y ejecutó lo que le pedía (antes de que lo ejecutaran a él).

Un halo violeta, del mismo color que los billetes de 500 euros, iluminó la cara del libio como la de un pirata que descubre un tesoro.

—Dudo que usted se haya caído al mar durante una inocente carrerita de globos, señor «Doy el gas». Más bien creo que intentaba escapar de alguien. ¿Quizá de la policía? ¿Ha robado un banco?

—No se precipite, son billetes falsos —cortó Dhjamal con aire convincente. Había dejado de temblar y ahora parecía tener la situación controlada. Había tenido una idea.

—¡Parecen auténticos sus billetes falsos! —corrigió el comandante, que no se dejaba convencer fácilmente por un tipo más ratero que él.

—Eso es porque son buenas imitaciones. Todo esto es material de magia. ¡Estos billetes no valen nada!

Y acto seguido, Dhjamal sacó una moneda de medio dólar de su bolsillo y la lanzó al aire.

—Cara —apostó.

Y la moneda cayó efectivamente de cara en la palma de su mano.

—Vamos, otra vez cara —dijo el indio lanzando de nuevo la moneda.

Una vez más, ganó la apuesta.

—Conozco ese truco —dijo el marinero con aire prepotente—. Depende básicamente de la manera en que se lance.

—Buen intento —remarcó Dhjamal mostrando los dos lados idénticos del medio dólar—, pero ha fallado. A menudo uno otorga habilidades de manipulación a los magos cuando el secreto está en el material... ¿Otra demostración?

El indio no esperó la respuesta del comandante. Rebuscó de nuevo en el bolsillo de su pantalón y sacó su famoso billete verde de 100 euros. Le dio la vuelta varias veces en la mano, enseñando el reverso y el anverso.

—¿Y qué? —preguntó el libio, cansado de ese espectaculucho improvisado de magia.

—Pues bien, ¿qué ve?

—Un billete de 100 euros.

—¡Qué vista de lince! ¿Le parece normal?

—Sí, completamente normal. Bueno, a primera vista. No deja de darle la vuelta como a una tortilla.

—Pues que sepa que está usted muy equivocado. ¡Para variar! —le echó en cara abriendo sus grandes ojos del color de la Coca-Cola.

El comandante se sobresaltó.

—En contra de lo que le he dicho hace un minuto, el material trucado a veces no es suficiente para crear la ilusión. El mago debe entonces usar todo su arte de manipulador.

Diciendo esto, mostró lentamente el reverso impreso del billete y luego el anverso, completamente blanco.

—¡Ese billete solo está impreso de un lado! ¡No puede ser! —farfulló el marinero, que no daba crédito a sus ojos.

—La destreza solo es una cuestión de práctica —continuó el faquir escritor dándole la vuelta al billete con un chasquido de dedos, mostrando un billete impreso esta vez sobre la cara antes blanca.

—Increíble… ¿Cómo lo hace?

—Este maletín está trucado —continuó el mago sin escuchar al otro—. Tiene la impresión de que está lleno de billetes, además auténticos, pero todo esto, con todo el respeto que le debo a un hombre armado que me apunta con su pistola, está en su cabeza.

Dhjamal cogió un billete violeta de un fajo, lo extendió delante de él sujetándolo con la punta de sus dedos por las esquinas superiores, como si quisiera admirar la marca de agua por transparencia. Luego empezó a doblarlo en dos, metódicamente, después en cuatro, en ocho, y así sucesivamente hasta que el trozo de papel no fue más grande que una uña. Sopló sobre sus dos manos y el billete desapareció. Volvió a coger otro billete del fajo y actuó de la misma manera. Así tres veces seguidas.

—¿Lo ve? Estos billetes no existen —añadió Dhjamal levantando el brazo al aire para que los tres billetes plegados que se encontraban en su manga se deslizaran al interior de su camisa—. Son billetes mágicos. Billetes trucados, vamos.

—No lo entiendo —confesó el hombre, que empezaba a morder el anzuelo.

—Es bastante fácil. Estos billetes están hechos de pan ácimo, sin levadura ni azúcar, productos cien por cien bio —mintió el faquir—. El mismo proceso que las hostias (consagradas) de los curas católicos, vamos. Los billetes se derriten en mis manos, más calientes que la temperatura ambiente, y desaparecen sin dejar huella.

—¡Alucinante!

—Esa es la razón por la que, aunque parezca que estoy en posesión de una verdadera fortuna, no puedo pagarle el viaje, comandante, puesto que este botín es solo un espejismo, una ilusión, pan ácimo. Como mucho, una golosina.

Por desgracia, al comandante Aden Fik le encantaban las golosinas. Tres milhojas de billetes violetas, eso era lo que finalmente le había costado la travesía del Mediterráneo al náufrago. En realidad, tres fajos, o sea, quince mil euros. Y si no hubiera sido por la charlatanería del faquir, que le había sermoneado sobre los beneficios de una dieta equilibrada y el contenido calórico escandalosamente elevado del pan ácimo, hubiera tenido que dejarle todo el maletín.

Por eso, en cuanto el *Malevil* atracó en el puerto de Trípoli a las dos de la tarde del día siguiente, Dhjamal recorrió lo más rápido posible el puente que le llevaba al muelle, con el maletín en la mano, y desapareció entre la multitud sin más. Se imaginó la cara del libio mascando el dinero sin que este se fundiera en su lengua y, sobre todo, cuando descubriera que se trataba de billetes auténticos y que había dejado escapar un maletín lleno a reventar.

El indio acababa de desembarcar en medio de un mosaico de olores y colores nuevos que le recordaron hasta qué punto estaba solo allí. Durante un instante, sintió nostalgia de su tierra, de los suyos, de sus pequeñas costumbres. Esos días en lo desconocido empezaban a pesarle.

En esa parte del mundo, los hombres tenían la tez morena como en su país. Pero no llevaban turbante ni bigote, cosa que, de hecho, les rejuvenecía. También había muchos negros, muchos Mohamed, con los ojos llenos de ilusión, que parecían esperar la salida de un barco para esa Europa tan codiciada que él acababa de dejar con una facilidad desconcertante.

Alrededor de ellos, hombres de paisano o en uniforme militar, pero todos armados con metralletas, patrullaban fumando cigarrillos de contrabando para recordarte que no te encontrabas en el lado correcto del Mediterráneo.

Con su bonito traje de ministro que desentonaba con la indumentaria local, el estilo chándal-sandalias de rigor, Dhjamal intentaba no llamar mucho la atención. En las últimas veinticuatro horas ya lo habían atacado con una nevera, una navaja y una pistola. Y si el arma con la que lo amenazaban iba a más, pronto se encontraría conversando, si no tenía cuidado, con el cañón oxidado de una vieja ametralladora. La vaca (sagrada) se había convertido durante unos instantes en un discreto ratoncito blanco que se deslizaba hacia lo que pensaba que era la salida del puerto.

Cuando estaba llegando a la altura del puesto de guardia, el pequeño ratoncito indio asistió, impotente, al robo de un joven subsahariano por parte de dos militares libios armados hasta los dientes. Uno de los hombres había empujado al extranjero contra un muro y el otro le estaba vaciando los bolsillos con toda tranquilidad, con el pitillo en la boca. Le cogieron los pocos billetes que tenía y su pasaporte. Conseguirían un buen precio en el mercado negro. Después los militares escupieron y volvieron a su garita muertos de risa.

El negro, despojado de su identidad y del poco dinero que tenía para pagar su travesía hacia Italia, se dejó caer contra el muro como una presa vaciada de su sangre que ya no tiene fuerzas para mantenerse en pie. Cuando se encontró con el culo en el suelo polvoriento, hundió la cabeza entre sus rodillas para desaparecer de aquel infierno.

Dhjamal sintió un escalofrío. Si no hubiera sido tan visible como la muralla china en Google Earth, con su ropa de banquero, se habría arrodillado al lado del desdichado y le habría ayudado a levantarse. Pero más valía no llamar aún más la atención. Sí, se habría arrodillado y le habría hablado de Italia o de Francia. Le habría dicho que el viaje valía la pena. Que tenía amigos como él que, en ese mismo momento, estarían saltando a un camión hacia Inglaterra, con los bolsillos llenos de galletas de chocolate compradas en Francia, en un supermercado donde se encontraban cosas a montones y donde todo parecía estar al alcance si tenías unos pocos billetes impresos por los dos lados. Que hacía falta que aguantara, que la tierra prometida estaba allí, al otro lado del mar, a unas horas en globo. Que allí había gente que le ayudaría. Que los «bonitos países» eran una caja de bombones y que toparte con la policía no era lo más probable. Y que, además, no golpeaban con grandes palos como en su pueblo. Había tipos buenos en todo el mundo.

Pero también habría querido decirle que la vida era demasiado valiosa para jugar con ella, que no le habría servido de nada llegar a Europa muerto, ahogado en el mar, asfixiado en el escondite estrecho de una furgoneta o intoxicado en la cisterna de un camión de gasolina. Dhjamal volvió a recordar aquella historia que le había contado Mohamed, la de los diez chinos que la policía había encontrado amontonados en el falso techo de un autobús, con pañales de anciano para poder orinarse encima. Y en esos eritreos que habían llegado incluso a llamar ellos mismos a la policía con su teléfono móvil porque se asfixiaban en el camión en el que les habían encerrado unos traficantes. Porque para ellos, que se aprovechaban de la vulnerabilidad de los inmigrantes, tenía el mismo precio. Un precio que podía ir de dos mil a diez mil euros según la frontera a cruzar. Y como les pagaban al final, y el final consistía en que el inmigrante llegara a su destino, poco importaba si llegaba entero o en piezas sueltas, o si la primera cosa que veía del bonito país era la habitación de un hospital. En el mejor de los casos, claro.

Dhjamal se acordó de lo que había sentido al caer al mar en el aerostato, el miedo a morir solo sin que nadie se enterase, a no ser nunca encontrado, a desaparecer de la superficie de la Tierra de un plumazo, hop, así. Y, además, seguro que el joven subsahariano tenía una familia que esperaba su regreso en algún lugar, en esa orilla, en ese continente. No podía morir. No debía morir.

Sí, el indio hubiera querido decirle todo eso. Pero no se movió un centímetro. A su alrededor, la muchedumbre continuaba su vida como hormigas que se afanan en su trabajo. Echó un vistazo a la garita. Los soldados seguían riéndose escandalosamente en su pequeño acuario de cristal. Si no le desvalijaban a él también, sería el comandante que le había llevado hasta allí el que saldría pronto de su barco hecho una furia, con los ojos llenos de ira y de sed de dinero, y daría su descripción a todos los mercenarios que pululaban por los alrededores, ¡y Buda sabía cuántos había! No podía quedarse allí.

Dhjamal sacó uno de los billetes de 500 euros que había guardado en su bolsillo y se dirigió derecho a la salida. A su paso, rozó al joven africano y dejó caer el billete a su lado y le dijo «*Good luck*» tan bajito que el adolescente seguramente no debió de oírle.

Ya está, acababa de ayudar a alguien. Su primera ayuda a un ser humano. Y era de una facilidad desconcertante.

Tras actuar de aquel modo, una sensación de bienestar le invadió. Sintió una especie de nubecita vaporosa que nacía en su pecho y se expandía en todas direcciones hacia los extremos de sus miembros. Pronto la nube lo envolvió completamente y Dhjamal tuvo la impresión de dejar el suelo polvoriento del puerto de Trípoli subido a un enorme sillón mullido. Era de lejos la mejor levitación de toda su carrera de faquir. Y fue el quinto electroshock que sacudió su corazón desde el comienzo de aquella aventura.

Se hubiera elevado hacia el cielo libio, por encima de la barrera y la muralla de espino del puerto, si en ese momento una voz grave no le hubiera interpelado por detrás. Se sobresaltó y cayó al suelo.

Dhjamal tardó varios segundos en reaccionar.

A su espalda, oyó de nuevo aquella voz.

—¡Eh!

Ya está, estoy muerto. El comandante del barco me ha enviado a sus esbirros, pensó el indio. Y su corazón se puso a tocar la pandereta en su pecho. ¿Qué hacer? ¿Darse la vuelta como si no pasara nada? ¿Ignorar la voz y salir corriendo como un loco hacia la salida? Lo cogerían enseguida...

—¡Eh, Dhjam'!

El indio creyó que no lo había oído bien. Se volvió lentamente. ¿Quién era esa persona que le llamaba por su nombre?

—¡Dhjam', no tengas miedo, soy yo!

Entonces, el escritor reconoció aquella voz cavernosa que había oído por primera vez al otro lado de la puerta de un armario en un camión bamboleante. Esa temible voz que le había contado todos sus secretos sin temblar.

Era él.

Era Mohamed.

Los ojos de Dhjamal se humedecieron. Sus labios se curvaron en una inmensa sonrisa y los dos hombres se abrazaron.

Por un lado, el indio estaba feliz de encontrarse con su amigo (por fin una cara conocida en esa parte del mundo donde nada le era familiar), pero, por otro lado, si Mohamed estaba allí, en aquel puerto de Trípoli, significaba que no estaba en España, ni en Francia y que no se disponía a cruzar la frontera del Reino Unido como había imaginado. Y eso lo entristeció.

—¡No sé cómo lo haces, Dhjamal, para aparecer siempre donde uno menos se lo espera! —exclamó el negro poniendo fin a su abrazo y dándole unos golpecitos en el hombro.

—El mundo es un pañuelo de seda india.

—Parece que los negocios te van bien —continuó Mohamed señalando el traje nuevo del indio y su maletín—. Pareces un rico empresario indio. ¿De dónde sales?

Dhjamal señaló el *Malevil*.

—¡Ese barco viene de Italia! —lanzó el sudanés sin entender demasiado—. ¡Parece que no lo has cogido en el buen sentido!

El ex faquir le explicó por tercera vez en su vida que no era un inmigrante ilegal como él y que no intentaba llegar a Inglaterra.

—Escucha —continuó, ante la mirada escéptica del africano—, te debía una explicación en el camión. Por razones que ya conoces, no pude contarte mi historia. Pero ahora, gracias al destino, nuestros caminos se cruzan de nuevo. Creo que el momento ha llegado.

—*Mektoub* —dijo el otro. Estaba escrito.

Sentados a la mesa delante de una cerveza fría, en un bar miserable de los alrededores del puerto, huyendo de los militares y del caos bullicioso de la ciudad, los dos hombres se lanzaron en una conversación a corazón abierto.

Desde que se habían despedido en Barcelona, Mohamed, que ahora viajaba solo, había vuelto sobre sus pasos gracias a los acuerdos de readmisión internacionales. Lo habían reenviado de país en país como si hubieran jugado a la patata caliente. Primero Argelia, luego Túnez y finalmente Libia. Un poco extraño sabiendo que no había tomado, para nada, ese camino a la ida. Pero qué más daba. La única cosa que contaba para las autoridades era pasar ese caramelo envenenado a la caja de bombones vecina. En cierto modo, habían conseguido inventar su maldita catapulta de inmigrantes.

El sudanés, que no abandonaría jamás puesto que volver a su país con las manos vacías sería a la vez una inmensa humillación, un fracaso personal y un derroche flagrante de dinero para ese pueblo que se había endeudado para que pudiera irse, se disponía ahora a cruzar de nuevo el

Mediterráneo hacia la pequeña isla italiana de Lampedusa. ¡Menuda frustración! Pensar que había alcanzado su tierra prometida, Inglaterra, unos días antes... Lo había conseguido. Si la policía no hubiera detenido el maldito camión...

—Pero ¿sabes qué? No somos los más desafortunados. En el vuelo de repatriación, hablé con un chino que me explicó que pagaban sumas astronómicas para alcanzar Europa en avión, con pasaportes falsos de excelente calidad y, una vez en Francia, debían trabajar durante todo el día y toda la noche en talleres de confección clandestinos de los alrededores de París para pagar a su traficante. Y los chinos tienen un sentimiento de respeto tan elevado que ni siquiera intentan huir, dar un corte de mangas y largarse. No podrían hacer ese feo. Sería una gran humillación para ellos no reembolsar sus pasajes. Una obligación moral, de alguna manera. Así que se instalan sobre sus máquinas de coser y trabajan. Las chicas guapas no son tratadas tan bien. Las encierran en sórdidos apartamentos y las obligan a prostituirse para pagar el billete hacia el paraíso prometido, que resulta ser un atajo al infierno.

Así habló Mohamed, sin saber que las jóvenes africanas corrían la misma suerte.

—¿Ves? No somos los más desafortunados —concluyó—. Blancos, negros, amarillos... Todos estamos en la misma galera.

—Los más desafortunados no lo sé, pero es un mal menor, Mohamed.

—Y tú, Dhjamal, ¿me vas a contar tu historia?

El indio bebió un trago de cerveza caliente y, como tenían tiempo, empezó por el principio.

—Nací entre el 10 y el 15 de enero de 1974 (nadie sabe el día exacto) en Jaipur, la India. Mi madre murió en el parto. Una vida por otra. A menudo es el precio a pagar cuando se viene de una familia pobre. Mi padre, incapaz de ocuparse él solo de un chiquillo, me envió a vivir a casa de su hermana, la madre de Pawan Bhyen, mi primo favorito (es como un hermano para mí). Dameti Sahna (pronunciado «Dame tisana»), mi tía, vivía en el pueblo de Tharta'l Yagurh, en la frontera con Pakistán, en el desierto Tártaro. Es allí donde crecí, en medio de la nada. Pero mi tía, que me consideraba otra boca que alimentar más que un miembro de la familia, hizo todo lo que pudo para que sintiera que sobraba. Por eso siempre estaba en casa de la vecina, Rehmalasha, que me educó como a un hijo. No siempre era fácil para ella. Era un niño inquieto, pero curioso y afectuoso. Mecido por los cuentos que ella inventaba para mí, yo soñaba con convertirme algún día en escritor o en contador de historias. En aquel tiempo casi no comíamos. No teníamos dinero. Vivíamos como neerlandeses; no, como neandertales (siempre confundo estas dos palabras). Un día, un inglés que pasaba por allí, un geólogo que estudiaba el desierto Tártaro, el único tipo interesado por un puñado de arena que he conocido, me enseñó un mechero y me lo regaló a cambio de una felación. En aquel entonces yo no sabía lo que era un mechero. Y aún menos una felación. Solo tenía nueve años. Hasta el día en que comprendí lo que era y que estaba mal. Pero ya habían abusado demasiado de mí. Resumiendo, el inglés hizo surgir pequeñas chispas sobre su pulgar y a mí me pareció mágico. Una llama azul en medio del desierto. Vio que el objeto me gustaba. «Lo quieres, ¿no?», me preguntó. Y es así como me encontré a cuatro patas entre sus piernas haciendo algo que no entendía, feliz con la idea de tener un objeto mágico a cambio. ¡Chupé a un tipo por un mechero! ¡Te das cuenta! ¡Un maldito mechero! Y yo solo era un chaval. Me dan ganas de vomitar. Así que, una mamada más tarde, corrí a enseñarles el mechero a mis amigos. Uno experimenta un sentimiento de superioridad cuando hace un truco de magia. Solo porque es el único en conocer el secreto. Y porque suscita la admiración. Ese sentimiento se convierte pronto en una droga, créeme. Yo, el niño del desierto y la pobreza, suscitando admiración, ¿te imaginas? Me había convertido en faquir. ¡Y a cuántos tipos de ciudad, y además listos, he podido desplumar! Porque los listos son los más fáciles de estafar. Están tan seguros de sí mismos que no prestan atención. Piensan que nadie les puede engañar. Y, ¡hop, al saco! Es su seguridad lo que los pierde. Los idiotas son diferentes. Están acostumbrados a que les tomen por tontos desde siempre, así que en cuanto se enfrentan a un charlatán, prestan mucha más atención. Analizan todos los movimientos. No quitan ojo. No dejan pasar nada. Y de hecho, paradójicamente, es mucho más difícil liarles. Lo decía Robert-Houdin, un mago francés. Y tenía razón. En fin, durante mi adolescencia viví un tiempo en casa de un venerable yogui rajastaní. Lo aprendí todo de él. El arte de devorar paquetes de cincuenta y dos cartas (además yo era exigente y solo comía las de la marca Bicycle), el de caminar sobre ascuas y sobre cristales de vidrio, el de atravesarme el cuerpo con utensilios de cocina y el de proporcionar a mi maestro, siguiendo sus instrucciones, buenas felaciones. Llegué a la conclusión de que era la forma normal de agradecimiento a los adultos.

Devoraba todos los libros que encontraba sobre el tema (la magia, no el arte de la felación): Houdini, Robert-Houdin, Thurston, Maskelyne. Hacía bailar una cuerda al son de mi flauta y luego trepaba por ella antes de desaparecer en una nube de humo. Mi gran habilidad hizo que pronto me otorgaran poderes sobrenaturales. Me convertí en un semidiós de mi pueblo. Si supieran… ¡Mi único poder era el de no dejar nunca que me pillaran! Fuera como fuese, mi reputación me llevó, a los veinticinco años, a las puertas de la residencia dorada del marajá Shuwos Khan Shaka Lathe, donde me contrataron como faquir-bufón. Mi objetivo era entretener a la Corte. Por todos los medios. Así que vivía en la mentira, lo falso, el engaño. Y este engaño se volvió pronto contra mí. Ya sabes, debía ceñirme al personaje, así que como era bastante más espectacular aparentar que solo comía tornillos y clavos oxidados en lugar de tener una alimentación normal, pues solo me daban eso para comer. Me moría de hambre. Aguanté una semana. Un día, como ya no podía más, robé algunas sobras de la cocina y las devoré al amparo de miradas indiscretas. Me pillaron con las manos en la masa. El marajá estaba ofendido. No por el robo, sino porque le había mentido. No me alimentaba de tuercas, sino de pollo y gambas, como todo el mundo. En definitiva, lo había tomado por tonto y eso era duro de aceptar para un hombre de su rango. Primero me cortaron el bigote, humillación suprema, luego el marajá me pidió que eligiera entre dar cursos a los niños de prevención contra el robo y la delincuencia en las escuelas o hacerme cortar la mano derecha. «Después de todo, un faquir no teme ni el dolor ni la muerte», me dijo con una gran sonrisa. Por supuesto, opté por la primera solución.

Para agradecerle el haberme dejado elegir mi pena, le ofrecí una felación con la mayor inocencia del mundo. ¿No era un gesto de gratitud hacia los adultos? Nadie me había dicho que eso estaba mal. Yo aún era virgen. Indignado, me echó del palacio con una patada en el culo. Lo entiendo. Ahora que lo pienso, me siento avergonzado. Sin dinero, retomé mi trabajo de estafador nómada. Engañé a todo el mundo, a mi pueblo, a los turistas que pasaban, en resumen, a todos los que me cruzaba por el camino. Recientemente hice creer a la gente que era vital para mí comprar el ultimísimo modelo de cama de clavos de Ikea. ¡Y todos mordieron el anzuelo! Hubiera podido decirles que me iba a conquistar el Vellocino de Oro. Todo el pueblo puso dinero. Evidentemente, no duermo en una cama de clavos. Tengo una cama blandita disimulada en el armario del salón. Pero pensaba revender la de clavos pronto. Quizá solo era un capricho, no sé, o para darme cuenta de hasta qué punto esos crédulos podían pagarme todo lo que yo quisiera. El pueblo se endeudó por mí, como el tuyo lo ha hecho por ti, Mohamed. Pero en mi caso fue a causa de un engaño. Por egoísmo. Yo no quería ayudar a nadie. La gente que conozco desde mi infancia ha dado dinero para mí cuando ni siquiera tiene para comer. Todo con la esperanza de poder ayudarme, de ayudar al semidiós en el que me convertí. Pero este viaje me ha cambiado. Ya no soy el mismo. Tu historia primero, que me ha emocionado, y luego otros encuentros a lo largo de todos estos imprevistos que me han traído hasta aquí, el amor por Marie (ya te contaré), la amistad de Sophie (también te contaré). Y, además, los ochenta y cinco mil euros que llevo en este maletín. Espera, no me mires así, Mohamed, voy a contártelo.

Después de haberle contado con detalle los últimos acontecimientos, Dhjamal terminó de un trago su cerveza caliente y miró fijamente a Mohamed con sus ojos del color de la Coca-Cola. Su amigo no decía nada. No sabía qué pensar. El relato le había dejado pasmado. ¿La intención del indio de cambiar no sería un nuevo truco, una nueva mentira?

Dhjamal miró el maletín, luego al sudanés y después de nuevo el maletín. Estaba seguro. Por fin había encontrado la persona adecuada a quien ayudar. Era evidente. Volvió a pensar en el periplo del sudanés que, como su propio viaje, parecía no terminar jamás.

Se acordó también de la sensación de bienestar que había experimentado al entregar el billete de 500 euros al joven inmigrante del puerto, la nube que había nacido en él y lo había envuelto de una dulzura aérea mientras el corazón le latía al son del tambor. Había descubierto que existía un sentimiento más fuerte que la satisfacción altiva de cogerle algo a alguien con artimañas y disimulo: la de ofrecer ese algo a una persona que lo necesitara. El joven africano había sido su ensayo; ahora ejecutaría su golpe maestro.

Dhjamal echó vistazos furtivos a su alrededor. Estaban sentados a una mesa en una esquina aislada del bar. De hecho, solo había dos clientes, dos viejos lobos de mar que hablaban en su idioma y parecían contarse sus aventuras. Brindaban ruidosamente, quizá felicitándose por estar aún con vida después de una existencia desafiando al mar.

El indio abrió el maletín, cogió varios fajos de billetes, los contó y los puso delante del sudanés.

—Esto es para ti, Mohamed. Para los tuyos. Cuarenta mil euros.

Cerró rápidamente el maletín.

—Lo que me queda es para los míos, a los que he engañado, a los que he deshonrado, ensuciado. Cuarenta y cinco mil euros para redimirme, para ofrecerles algo que comer, de qué vivir en buenas condiciones.

La mandíbula de Mohamed continuaba colgando en el vacío. Al principio no había creído mucho en la historia del editor francés en Roma, en la novela escrita sobre su camisa, en el manuscrito, en el adelanto, pero debía rendirse a la evidencia. ¿Dónde hubiera podido si no encontrar el rajastaní tanto dinero?

—Con esta cantidad —tartamudeó el negro— ni siquiera tendría necesidad de irme a Inglaterra. ¿Te das cuenta, Dhjam'? Podría volver tranquilamente a Sudán, a casa...

Había dicho eso con un destello de nostalgia en los ojos.

—Pero no puedo aceptarlo.

Dhjamal había creído que la sensación de bienestar generada por la buena acción sería proporcional a la cantidad ofrecida. Esperaba, así, que esta fuera ochenta veces más fuerte que la que había experimentado al haber dejado caer el billete de 500 euros al lado del joven africano al que habían desplumado cruelmente. Pero no fue el caso. No era la suma lo que contaba, sino el gesto. Su nube lo había hecho despegar de la mesa para subirse al techo del bar. Pero la última frase de Mohamed tuvo en Dhjamal el efecto de una bomba, y volvió a caer de nuevo al suelo.

—¡Cógelo! No pienso irme con todo este dinero. Es para ti, Mohamed.

—Es tu dinero. Lo has ganado honestamente, por una vez —dijo haciendo hincapié en estas tres palabras.

—Por eso mismo, si es mío, soy libre de hacer lo que me dé la gana con él.

Dhjamal nunca hubiera creído que fuera tan difícil para un inmigrante ilegal aceptar cuarenta mil euros en billetes grandes.

—Hazlo por mí, Mohamed. No más bodegas de barcos, maleteros de coches, camiones de mercancías. Quiero que seas un hombre libre, no un hombre perseguido que vive en el temor, un hombre expulsado país tras país. Vuelve a ser un padre. Tus hijos te esperan.

Mohamed dudó un rato largo, casi unos dos segundos. Finalmente aceptó.

Los billetes de banco, como los cerdos, tienen tendencia a dormir en la posición de las pilas AAA en un mando a distancia. Uno hacia arriba, uno hacia abajo, uno hacia arriba, uno hacia abajo. Así fue como Dhjamal dispuso los fajos de billetes violetas que le quedaban en el maletín para llenar el espacio que habían dejado los que le había dado a su amigo.

Ambos retomaron su camino. Uno iría hacia el norte, el otro hacia el sur, pero los dos hombres guardarían para siempre el recuerdo de lo que habían compartido. Quizá se cruzarían un día de nuevo. *Mektoub*. Quizá estaba escrito. El mundo era realmente un pañuelo de seda india.

El escritor estaba sentado en la parte trasera de un taxi, rumbo al aeropuerto. El último que había cogido había sido el punto de partida de aquella increíble aventura. Este, cuyos asientos eran menos cómodos, pero cuyo conductor al menos no intentaría matarlo, marcaría el final.

Estaba decidido. El indio cogería el primer vuelo a París, se encontraría con Marie, aceptaría tomar una copa con ella, o comprar lámparas en Ikea, no quitaría su mano cuando ella lo rozara y pasaría las noches mirando sus bonitas pestañas rizadas que parpadearían al ritmo de su corazón. Le enseñaría todos los trucos de magia que quisiera y escribiría el final de su novela, con la cabeza de su amada descansando sobre su hombro.

Ya no tenía nada que hacer en Libia. De hecho, nunca había tenido nada que hacer allí. Era como si un roble se encontrara trasplantado, de la noche al día, en el desierto del Sáhara. Así es como se sentía. Pero sobre todo, ya no tenía nada que hacer en la India. El nuevo Dhjamal Mekhan Dooyeghas ya no tenía su sitio allí. Como las cobras a las que había encantado durante toda su carrera, había mudado su piel. Había dejado en Tharta'l Yagurh la de un antiguo estafador. No podía volver y confesar que su vida hasta ahora solo había sido una gran farsa. Ya no podría devolver a la gente la esperanza y la ilusión que les había robado. Ya no comprenderían nada. Dhjam' vuelve, sí, pero ya no es faquir, ya no quiere vestirse con esos grandes pañales de bebé; ahora quiere ponerse bonitas camisas. Por cierto, nunca tuvo poderes. Todo eso era solo para quitaros el dinero. Para robaros vuestros pequeños ahorros. No convierte el agua en vino, no cura el cáncer, incluso es demasiado blandengue para soportar un análisis de sangre, así que ¡imaginen clavarse un tenedor en la lengua! ¿De verdad? ¿Se lo han visto hacer? ¡Sí, pero era una lengua de látex!

No, no podía volver. Debía empezar una vida en otro sitio, lejos de allí, en un país donde no corriera el riesgo de cruzarse con ningún habitante de su pueblo tártaro. Llamaría a Pawan Bhyen y a Rehmalasha en cuanto llegara y se lo explicaría todo. Les daría pena, pero lo entenderían.

Les enviaría treinta y cinco mil euros. Para ellos y para el pueblo, para que nunca se encontraran en la necesidad. Y entonces comprenderían realmente. Guardaría diez mil euros para él, para él y para Marie. Debía pensar por dos a partir de ahora. Sería su alfombra mágica para despegar hacia una nueva vida.

Una vida honesta, inocente, normal.

También habría amor. Seguramente.

Pero al llegar al aeropuerto internacional de Trípoli, todos sus proyectos se derrumbaron como un castillo de naipes trucados. El último avión para Roissy-Charles-de-Gaulle había despegado la víspera y el próximo no estaba previsto hasta dentro de dos días por lo menos, puede que más, según el tiempo que tardaran en desalojar a los últimos rebeldes que se habían instalado en la pista.

En otros tiempos, los indios del desierto utilizaban el turbante de los hindúes para medir la profundidad de sus pozos. Por primera vez desde hacía años, Dhjamal se lo quitó para medir la profundidad de su pena.

Tardaron más de lo previsto en despejar las dos pistas del aeropuerto internacional de Trípoli. Dhjamal tuvo que esperar cinco días. Cinco interminables días en los que se encerró en su habitación de hotel, saliendo solo para comprar algo de comida. No se tiene hambre cuando se está enamorado… Incluso se tiene menos hambre cuando se está enamorado en un país en guerra. Así que las patatas fritas, las barritas de chocolate y las chucherías bastaban. Igual que unos buenos baños calientes.

Con el dinero que tenía, habría podido permitirse los mejores restaurantes de la capital libia. Así que ¿por qué quedarse cinco días encerrado en un aeropuerto? Pues bien, porque el caos de la ciudad no invitaba precisamente a un extranjero a pasearse por las calles con los bolsillos llenos de dinero en busca de un restaurante. Aunque ya casi no había tanques en la calle y los militares ya no obligaban a los extranjeros a embarcar en los grandes barcos de pesca para invadir las costas italianas como lo habían hecho unos meses antes, bueno, tampoco era Eurodisney. Y, además, lo que Dhjamal Mekhan Dooyeghas había visto en el puerto de Trípoli quedaría mucho tiempo anclado en su memoria. El joven africano resbalando por el muro mientras lloraba de rabia después de que lo hubieran desplumado. ¿Habría encontrado el billete? ¿Qué habría hecho? ¿Dónde estaría ahora? Eran preguntas que se quedarían para siempre en suspense pero a las que el indio prefería dar respuestas optimistas.

La máquina expendedora de bocadillos de la terminal que se encontraba unas plantas más abajo de su hotel se vaciaba un día tras otro al ritmo de sus exploraciones cotidianas en el aeropuerto.

Aislado del mundo, casi como si se encontrara en una isla desierta, el indio volvió a pensar en los últimos días que acababa de vivir. En esa carrera loca que lo había llevado hasta allí, en esos extraños acontecimientos que habían hecho de él un hombre nuevo, en los cinco electroshocks que había experimentado durante aquel periplo. Uno se vuelve rápidamente filósofo cuando está acostumbrado a vivir de forma austera y, de la noche a la mañana, encuentra un maletín con cien mil euros.

Al principio, al recibir ese dinero, había sentido desconfianza, puesto que si había algo que la vida le había enseñado era que los regalos no caían nunca del cielo así, de forma gratuita. Al menos sin tener que hacer una felación. Como mínimo. El mundo estaba lleno de estafadores, timadores y crápulas como él. El mundo era un inmenso terreno de caza. De eso sabía bastante porque él mismo había sido un depredador.

Pero al ver su habitación de hotel en Roma, todo ese lujo sin pedirle nada a cambio, y luego todos esos billetes violetas a cambio de unas líneas escritas en una camisa, se dio cuenta de hasta qué punto el hombre podía ser bueno. Habían confiado en él. Como Sophie Morceaux, actriz y estrella internacional que había dedicado un poco de su tiempo a cuidar de él y a ayudarle. Debía agradecérselo y explicarle la razón de su huida. Le escribiría una larga carta en cuanto llegara a París.

En fin, que en el mundo no solo había estafadores, timadores y crápulas. Y esos últimos días, había aprendido que hay algo mejor que hacerse con el dinero de los demás con engaños: dar su propio dinero y hacer el bien a su alrededor. Si lo hubiera oído en boca de otro, habría dicho que aquello era cursi, pasteloso y demagógico al máximo. Pero era cierto. Se acordó de la mirada del sudanés cuando le dio los cuarenta mil euros. Nunca olvidaría sus ojos. Ni los de Marie.

Marie.

Pronto.

Cada noche se acostaba pensando en ella al son de las ametralladoras que a veces escupían su veneno no muy lejos de allí. El maletín al que se abrazaba con fuerza tomaba la forma, en cuanto se dormía, de las finas caderas de la francesa y le hacía sumergirse en el más bonito de los sueños.

La víspera de su viaje, Dhjamal llamó a Marie emocionado desde una cabina telefónica y la avisó de su inminente llegada a París y de sus planes. Hacerla suya. No retirar nunca más su mano cuando ella lo rozase, nunca más rechazar tomar una copa o pasar una noche romántica. Quería ir con ella a ver a sus primos que vendían torres Eiffel y apartamentos en los Campos de Marte. Quería verlo todo con ella.

—¿Sabes? Lo más gracioso de todo esto es que has ido a Inglaterra, a París, a Barcelona, a Roma y no has visto ni el Big Ben, ni la torre Eiffel, ni la Sagrada Familia ni el Coliseo. Eres un poco como mi amiga Adeline, que de las grandes capitales europeas solo conoce sus aeropuertos. Es azafata. Está bien, iremos los dos y te enseñaré estos «bonitos países».

Había usado la expresión de Mohamed, y Dhjamal no pudo evitar preguntarse dónde estaría su amigo. Seguramente no estaría de camino a Europa, sentado en el suelo sucio de un camión. ¿El dinero sería suficiente para que sus hijos dejaran de esconder una gran pelota de baloncosto bajo la piel de su vientre?, ¿para que las moscas se fueran para siempre de sus labios y de su país y sus ojos se iluminaran de nuevo? ¿Sería suficiente para que pudieran dejar de pensar en conseguir algo que llevarse a la boca?

—Ya hemos perdido demasiado tiempo —dijo la francesa sacando a Dhjamal de sus pensamientos.

—Tienes razón.

Él tenía los ojos (más bien los oídos) brillantes.

Imaginen el estado en el que se encontraba Marie cuando colgó. ¡En el cielo, claro! Acababa de volver a sus veinte años. Se puso las zapatillas de deporte y corrió a comprar velas perfumadas, un magret de pato y cuatro bonitas manzanas amarillas.

Feliz quien, como Dhjamal Mekhan Dooyeghas, ha realizado un largo viaje en armario y ha regresado luego, sabio y lleno de experiencias, para vivir con su amor el resto de sus días...

¡Despacito! No tan rápido, se dijo el indio, sentado en el confortable Airbus que lo llevaba a París. Teniendo en cuenta tu suerte, aún queda la posibilidad de que el avión sea secuestrado. Y, ¡hop, vuelta a empezar! No estaré tranquilo hasta que aterrice en París y coja a Marie en mis brazos. Echó un vistazo al bonito ramo de margaritas blancas que había dejado en el asiento vacío de al lado.

Mientras imaginaba a un grupo terrorista ferozmente armado levantarse de golpe y tomar el mando del avión para redirigirlo hacia Beirut o cualquier otro destino exótico, Dhjamal miraba furtivamente a su alrededor, buscando hombres barbudos, con turbantes, ataviados con un gran cinturón decorado con cartuchos de dinamita. Pero pronto se dio cuenta de que, en el avión, el único que coincidía con esa descripción era él. Un terrorista. Después de todo, quizá era lo que estaban pensando los demás de él...

Si supieran... Ahora era un caballero, un verdadero marajá, con el turbante limpito para gustar a su amada. Rico por el contenido de su corazón, rico por el contenido de su maletín. Y, además, llegaba a Francia por la puerta grande. En avión, encima, un medio de transporte bastante original para ese hombre más acostumbrado a viajar, últimamente, en un armario de Ikea, en un baúl Vuitton y en un globo. Ya no era un inmigrante ilegal a su pesar. La maldición se había roto por fin. Pensándolo bien, había tenido mucha suerte. Había hecho un increíble viaje de nueve días, un viaje interior que le había enseñado que, al descubrir otras cosas en otros lugares, uno puede convertirse en otra persona.

El día en que había ayudado al joven africano y a Mohamed en el puerto de Trípoli, había dado más de lo que nunca jamás había dado en su vida. Y no solamente desde el punto de vista económico, aunque cuarenta mil quinientos euros representan en sí una enorme cantidad, una fortuna. Se acordó de la sensación de bienestar que lo había invadido en esas dos ocasiones, de la confortable nube que lo había hecho levitar más alto que ninguno de los sistemas que había usado siempre para sus espectáculos. Se preguntaba quién sería el siguiente de la lista. ¿A quién ayudaría?

El auxiliar de vuelo anunció que el avión comenzaba el descenso, que se aseguraran de que sus asientos estuvieran en posición vertical, sus mesitas, plegadas, y los aparatos electrónicos, apagados.

Dhjamal se puso derecho y metió sus pies en los zapatos, arrastrando dentro, sin saberlo, una fina lente de contacto que había quedado pegada a sus calcetines cuando los había frotado sobre la moqueta del suelo.

Tenía la sensación de volver a casa.

Marie era «casa».

Pensó en el excelente comité de bienvenida que lo esperaba en el aeropuerto de París. Su francesita. ¿Qué más podía soñar?

En ese momento, una guapa francesa ataviada con un vestido turquesa y unas sandalias plateadas se subía, con alegría, a un pequeño Mercedes rojo abollado sobre cuyas puertas delanteras podía leerse TAXIS GITANOS. Por las ventanas se escapaba un aire de guitarra pegadizo de los Gipsy Kings.

—¡Al aeropuerto Charles-de-Gaulle, por favor! A llegadas. Voy a buscar a alguien que aterriza en una media hora; viene de Trípoli. Está en Libia. El país que estaba en guerra. Bueno, el país que siempre ha estado en guerra.

El chófer asintió para indicar que había entendido, que no le hacían falta tantas explicaciones. Era un hombre gordito con pelos blancos y negros que salían por el cuello de su camisa negra. Sus dedos morcillosos, repletos de anillos de oro, agarraban el volante con firmeza como si temiera que se escapara.

En el salpicadero, una licencia de taxi con una fotografía en blanco y negro indicaba que el hombre se llamaba Gustave Palourde, que era gitano cien por cien y que su número de identificación era el 45828.

—¿Por qué esos ramos de flores en los tiradores de las puertas? —preguntó Marie.

El viaje va a ser interminable, pensó Gustave, que ya imaginaba a su clienta equipada con una cremallera india en los labios.

—Mañana caso a mi hija —dijo secamente.

Y sus dedos empezaron un solo de castañuelas en el volante.

—¡Felicidades! —exclamó la mujer con un tono alegre—. Debe de estar muy orgulloso y contento, ¿no?

El conductor dudó.

—Es un buen partido, sí.

—Oh, no diga eso, señor. Su hija se casa por amor, ¿verdad? ¡Es maravilloso!

—En la familia Palourde uno no se casa por amor, señora, sino por interés. El amor viene luego. O no viene…

—¿Y trabaja hasta el último momento? —preguntó Marie, para llevar la conversación con el taxista a un terreno menos minado.

—Hay que ganar dinero para pagar la nueva caravana en la que se va a instalar la pareja.

—Entiendo —contestó la francesa, que en realidad no entendía.

¿Cómo podía esa gente acampar toda su vida, y de manera voluntaria además? Era difícil de entender para ella, que nunca había aceptado dormir en algo que no fuera una cama grande, ni siquiera en un sofá.

—¿De dónde es el novio?

—Español.

—¿De dónde?

—De Barcelona —contestó Gustave, irritado, y siguió

hablando para que la mujer no le hiciera otra pregunta—. Va a venir a vivir aquí, a la región parisina, en nuestra comunidad. Era el acuerdo. Generalmente es la esposa la que sigue al marido, pero ¡en la familia Palourde, son las mujeres las que deciden! Y yo. El chaval es de una gran familia gitana de Barcelona. Estoy muy contento de que nuestras sangres se mezclen.

—Un matrimonio internacional —dijo Marie mirando la carretera, pensativa—. La mezcla es algo tan bonito… Hablando de eso, la persona a la que vamos a buscar al aeropuerto no es francesa. Es mi novio —aclaró Marie, que no tuvo la sensación de estar mintiendo sino solo de anticiparse un poco—. Es indio. Con un poco de suerte, un día seremos un bonito matrimonio internacional…

¿Por qué le daba por pensar ese tipo de cosas? ¿Por qué decía ese tipo de cosas? ¿Y encima a un desconocido?

Marie seguía fijando la vista en un punto imaginario en la carretera frente a ella, hacia algún sitio entre los dos asientos delanteros. Se imaginaba con Dhjamal, vestida con un bonito sari, rodeada de colores vivos y pétalos de rosa que habrían tirado al suelo a su paso. Una verdadera princesa.

—Indio… —repitió el conductor, también pensativo—. Para serle sincero, señora, no me gustan demasiado los indios.

Mientras hablaba, Gustave apartó su mano derecha del volante para acariciar el mango de marfil de su navaja, que nunca abandonaba el bolsillo delantero de su pantalón.

—He conocido a uno no muy fiable —añadió—. Un chorizo. Eso, un chorizo indio picante. Y le puedo decir que si nuestros caminos se cruzan de nuevo, pasará un mal rato, créame…

—Bueno, tampoco hay que generalizar. No son todos así —dijo Marie, que se abstuvo de precisar que la gente piensa lo mismo de los gitanos—. El mío es un hombre honrado, ¿sabe? Un escritor.

—¿Un escritor? —repitió el taxista, que nunca había leído otra cosa que no fuera un callejero de París.

—Será un honor para mí presentárselo. Cuando lleguemos al aeropuerto, espéreme, si no le molesta, y así no tendré que buscar otro taxi para volver a París. De esta manera conocerá a Dhjamal. Ya verá. Le hará cambiar de opinión sobre los indios.

—Seguro…

El Mercedes florido circulaba a gran velocidad por la autopista. El sol empezaba a ponerse lentamente, inundando de un color naranja los árboles y los edificios.

El taxista se dio un golpecito en la frente y miró su reloj.

—¿Sabe qué? Me viene genial que vayamos al aeropuerto porque mi primo Gino llega hoy de Roma. No pensaba poder ir a recogerle, pero ya que estamos… Viene para la boda de mi hija. La peina él.

Gustave no dijo que su primo era dueño del salón Peluquero para Romanos, que se había convertido, tras la actuación de unos jóvenes grafiteros gitanófobos, en «Peluquero para Rumanos». Los muy incultos no diferenciaban entre un gitano de origen español y un gitano rumano o búlgaro.

—Si no le molesta —continuó el chófer—, mientras va a recoger a su novio, iré a buscar a Gino. Quedamos delante del coche. No le importa compartir el taxi con mi primo, ¿verdad?

—¡Claro que no! —exclamó Marie, contentísima—. ¡Al contrario! ¡Cuantos más seamos, más divertido será!

Nunca mejor dicho...

CAPÍTULO TRES

III

Cuando Devanampiya se derrumbó súbitamente en las baldosas frías y húmedas de la cárcel, Walid preguntó a un prisionero lo que acababa de pasar y se enteró de que su amigo había muerto.

Walid había llorado (he averiguado que los ciegos lloran). *Había derramado todas las lágrimas de sus ojos muertos y de su corazón aquella noche. Sus llantos se habían escuchado hasta en su país, Afganistán.*

Acababa de perder a un amigo, el único aquí, y con él acababa de perder de nuevo la vista. Y en esas condiciones, la cárcel iba a volver a ser un infierno.

CAPÍTULO CUATRO

||||

Cuando Walid se despertó aquella tarde, estaba rodeado por tres médicos. Si no hubiera sido ciego, habría podido ver que las paredes grises y sucias de su celda habían desaparecido y que ahora había otras de un blanco cegador. El suelo estaba tan limpio que se podría comer sobre las baldosas. Las máquinas y el material médico daban la impresión de estar en una habitación de hospital más que en una celda.

El ciego intentó incorporarse, pero una mano se lo impidió a la vez que una voz grave le hablaba en un idioma que no entendía pero que identificó como cingalés.

Cuando quiso preguntar lo que pasaba, se dio cuenta de que tenía un tubo en la boca y que no podía hablar.

De nuevo, una secuencia de sonidos incomprensibles le ordenó que no se moviera ni hiciera esfuerzos.

Walid se quedó tumbado sin hacer más preguntas, con la mente atormentada por la confusa situación, hasta que le llevaron, unas horas más tarde, un intérprete afgano a su lado.

Entonces la comunicación entre los médicos y el paciente fue posible.

—¿Cómo se llama?

—Walid Nadjib.

—Bien —dijo el médico como si verificara algo que ya sabía.

—Soy el doctor Devanampiya. ¿Sabe usted dónde se encuentra?

¡Devanampiya! Los ojos muertos de Walid se llenaron de estupor. No entendía. Quizá era un nombre común después de todo.

—En la cárcel, claro —farfulló.

—¿En la cárcel?

Aparentemente, era una respuesta equivocada.

—Está usted en el Colombo Military Hospital, el hospital militar de Colombo.

—Y ¿qué hago aquí? —preguntó Walid, asustado—. ¿Acaso estoy enfermo?

Recordó la súbita muerte de su amigo de vuelta del paseo. ¿Iba a vivir la misma fatalidad?

—Usted es el único superviviente de un atentado terrorista. Se produjo una fuerte explosión en el avión en el que acababa de embarcar. Un 747 con destino a Londres. Según parece, un suicida consiguió pasar el control de seguridad con una carga explosiva bastante potente. Cuando le encontramos, su estado era muy crítico, se lo aseguro. Ha estado en coma dos meses y pensábamos que todo había terminado para usted. Pero ¡ahora ha despertado! Es un milagro. Uno de los atentados más mortíferos de este siglo: doscientos dieciocho muertos, un solo superviviente.

Por más que el ciego lo intentara, no se acordaba de nada. Sus recuerdos no coincidían con lo que acababa de contarle el médico, como si hubiera vivido una vida paralela hasta entonces. En sus recuerdos, los policías lo habían detenido en el control, lo habían enviado a la prisión de Colombo y había conocido a su amigo Devanampiya. Pero ahora se daba cuenta de que todo eso había sido fruto de su imaginación, una simple invención de su men-

te durante un largo período en coma. Se enteraba, por boca de gente que no sospechaba nada, y aún menos de un pobre ciego superviviente de un terrible atentado, de que había cumplido su misión. ¿Por qué no había muerto si la carga explosiva estaba escondida en su bastón? No tenía la menor idea. Quizá un auxiliar de vuelo le había quitado el palo para ayudarle a entrar en el avión y se había olvidado de devolvérselo después. Fuera lo que fuese, Walid agradeció su buena estrella y lloró de alegría. Un ciego podía llorar.

Imposible, se dijo Dhjamal; imposible acabar la novela así. No puedo terminar este libro de una manera tan horrible. El criminal no puede triunfar. Por más original que sea este final, es malo, muy malo, y sobre todo inmoral. La inmoralidad era un concepto nuevo para él.

Hizo una bola con las tres hojas de papel y la tiró en el cubo metálico que se encontraba bajo la mesa. El escritor novato no conocía los trucos para elaborar un buen relato, pero, en los pocos libros que había leído y que no trataban de magia, había notado que las historias, por más negras que fueran, acababan siempre con un *happy end*, una notita de esperanza. Como si el relato hubiera sido un largo pasillo oscuro y el final, una gran luz blanca.

Quizá no conseguiría nunca reescribir el final de su novela. Quizá no merecía los cien mil euros que le habían dado ni la confianza que habían depositado en él.

No tenía la menor idea de dónde se había sacado esa historia del terrorista ciego, pero no iba con él, y menos ahora. Él también quería dar esperanza, por puro respeto a esas bellas personas con las que se había cruzado a lo largo de su aventura. Esos hombres, esas mujeres, blancos, negros, Sophie, Mohamed y los demás, todos compartían algo: tenían un inmenso corazón. Y ¿por qué no contar el fantástico viaje que le había cambiado para siempre? Al menos era una historia real, no una mentira. Era SU historia. La que le había convertido en lo que era ahora. Además, tenía la ventaja de que acababa bien. Había encontrado una mujer y una nueva familia, el verdadero *happy end*. Exactamente el tipo de luz que inundaba un relato con sus mil rayos después del largo túnel negro de su vida.

Pensó en un título, creyendo que así se elaboraba una novela.

—¿Qué piensas de *El increíble viaje del faquir que se quedó atrapado en un armario de Ikea*? —se preguntó en voz alta como si el perro de la bodega del avión estuviera allí, testigo de la creación de su nuevo libro. Se lo imaginó ladrando tres veces para animarlo.

Ese título resumía perfectamente su historia. La de Dhjamal Mekhan Dooyeghas, hombre de mundo, ex faquir oriental, nuevo escritor occidental y un hombre que había descubierto Europa viajando de una manera bastante original: en un armario, un baúl, un globo, un barco y una cinta mecánica.

Reflexionó unos segundos.

Cuando por fin encontró la primera frase de su nueva novela, «La primera palabra que el indio Dhjamal Mekhan Dooyeghas pronunció cuando llegó a Francia fue una palabra sueca», echó un vistazo por la ventana y sonrió enseñando todos los dientes, con esa sonrisa de satisfacción que tienen los hombres cuando saben que están haciendo grandes cosas. Luego se pasó la mano por el vendaje que le cubría las costillas, suspiró profundamente y salió de la caravana.

La música de las guitarras, las castañuelas y los gritos le asaltaron. Durante un instante, pensó que estaba reviviendo despierto la pesadilla que lo había atormentado en Italia. Se volvió a ver transformado en vaca (sagrada), asándose en el extremo de un pincho con su primo convertido en tomate cherry, girando sobre el fuego al ritmo de los Gipsy Kings. ¡Qué horror!

Se apoyó en la puerta de la caravana. Su corazón iba a estallar.

—¿Qué estabas haciendo? —le preguntó una princesa india que resultó ser Marie vestida con una túnica verde.

Aliviado de no ser una vaca (sagrada) asada en su punto, Dhjamal se apartó de la puerta, cogió el brazo de su amada y avanzó hacia la multitud multicolor. El vertedero municipal se había animado de repente.

—Nada. Escribir. Me ha venido una idea y quería apuntarla antes de que se me olvidara.

—Hoy no se escribe. ¡Hoy es fiesta!

La francesa lo besó, lo cogió de la mano y bailó unos pasos de flamenco. A su lado, una joven gitana rubia vestida con un traje de novia de color rosa chicle taconeaba sobre una mesa.

En ese momento, un hombre barrigón soltó su guitarra, se levantó y se dirigió al indio. Cuando estuvo lo suficientemente cerca para que nadie más lo oyera, le dijo:

—Vamos, hagamos las paces, «Yo mal». Espero que no me guardes mucho rencor por el navajazo.

Puso su mano sobre el costado del indio. Sin su nevera

en la mano, Gustave Palourde no dejaba de parecer peligroso.

—Pero no te olvides de nuestro acuerdo, payo. Si no me hubieras prometido que divertirías a los niños con tus trucos de faquir, ni el bonito billete de 500 euros que me has dado habría impedido que te transformara en colador indio, ¿sabes?

Como Marie lo estaba mirando a unos pasos de allí, feliz y un poco borracha al mismo tiempo, en todo caso despreocupada, Dhjamal se vio obligado a sonreír. Buscó a los niños con la mirada, respiró hondo y se adentró más aún en la multitud.

Solo cuatro meses después de la afortunada boda de Miranda Jessica (novia mojada, pues había llovido a cántaros aquel día) y Tom Cruise Jesús, Dhjamal pidió la mano de la mujer a quien amaba al término de una cena romántica en el *Métamorphosis*, un viejo barco anclado en el Sena transformado en restaurante cabaret que ofrecía espectáculos de magia. Con la complicidad del ilusionista local, un hombre que había actuado con los grandes de ese pequeño mundo y cuyas fotos estaban colgadas por todas partes en el barco, hizo aparecer la sortija de compromiso en un pañuelo de seda india que una mariposa autómata con alas amarillas y azules trajo volando hasta Marie y que depositó delicadamente sobre su hombro. La versión india de un truco de 1845 del mago relojero Robert-Houdin.

Durante la cena, y antes de que la francesa descubriera con estupefacción el bonito anillo escondido en el pañuelo, los dos amantes habían compartido un poco de su intimidad, por lo menos en pensamiento, con sus allegados y sus nuevos amigos.

Rehmalasha y los cuatro primos favoritos de Dhjamal,

o sea, por orden de preferencia, Pawan Bhyen, Kura Shan, Arobaasmati y Pathmaan, a quienes enviaban regularmente noticias, planeaban visitarles en su bonito piso de Montmartre. Quizá se quedarían y se convertirían todos en agentes inmobiliarios en París. La torre Eiffel seguía a la venta, después de todo.

El éxito mundial del libro de Dhjamal había permitido a Mohamed dar con la pista del indio exiliado. Le había escrito una carta en la que lo felicitaba y le agradecía otra vez su gesto. Con el dinero habían construido una escuela en su pueblo y habían sacado a varias familias de la pobreza y del hambre. En cuanto a las moscas, se habían quedado. No se podía hacer nada con ellas.

Ahora que Sophie Morceaux sabía la razón por la que el indio se había dado a la fuga con su maletín aquel día sin decirle adiós, ya no le guardaba rencor. Los dos amigos compartían hasta el mismo agente, Hervé, que seguía teniendo las manos sudorosas.

Dhjamal no solo era un hombre que escribía historias. Movido por la satisfacción de ayudar a los demás, drogado por la nube de placer que le hacía levitar alto en el cielo cuando cumplía con sus buenas acciones, había montado con Marie, y gracias a los importantes derechos de autor cosechados con su libro, una asociación que acogía y ayudaba a los más necesitados.

Conmovidos por lo que había vivido Dhjamal en el camión con destino a Inglaterra, los diseñadores de Ikea habían estudiado un modelo inédito de armario provisto de un aseo y de un kit de supervivencia. Sería sin duda la mejor venta durante los próximos meses en la frontera greco-turca.

Finalmente, los enamorados hablaron del último naufragio, de esa embarcación que había desaparecido con setenta y seis inmigrantes a bordo en algún sitio entre Libia e Italia. Varios helicópteros de la Guardia di Finanza sobrevolaban en ese preciso instante el Mediterráneo en busca del barco. A pesar de los esfuerzos de los socorristas, nunca se encontraría el cuerpo sin vida de ese joven somalí de diecisiete años, Ismael, que había embarcado en él una buena mañana, lleno de esperanza, después de que Alá le hubiera enviado una señal dejando a su lado el billete de 500 euros que le había permitido pagar la travesía.

Durante aquella cena con velas, ochocientos cincuenta y cuatro personas intentaron atravesar de manera ilegal las fronteras de los «bonitos países» para disfrutar, ellas también, de esta maravillosa caja de bombones. Solo treinta y una lo consiguieron, sintiendo el pellizco en el estómago cuando el camión frenó y no se detuvo.

Hasta el día de hoy, el oficial Simpson no ha descubierto ningún otro inmigrante ilegal escondido en un armario de Ikea. Quizá sea porque su superior jerárquico, después de haber leído la novela de Dhjamal Mekhan Dooyeghas y de haberse enterado de su inocencia, puso a Rajha Simpson de guardabarreras en los muelles del puerto de Dover. La actividad cotidiana más notable del policía es ahora el lanzamiento de mendrugos de pan duro a las gaviotas, que quiere que se convierta rápidamente en disciplina olímpica.

Evidentemente, Marie dijo «Sí, quiero».

Arrodillado delante de ella, Dhjamal deslizó la bonita sortija de pedida en su dedo. Luego se puso de pie y le dio un beso largo y apasionado bajo una lluvia de sonrisas y aplausos. Unos días más tarde, un gran sastre indio del pasaje Brady tomaba las medidas de la francesa para confeccionarle un suntuoso sari rojo y dorado.

El coche que la llevaría desde Montmartre hasta el templo hindú ya estaba listo. Era un Mercedes rojo, algo abollado, al que se había atado una batería nueva de cacerolas de Ikea que se oirían tintinear hasta las lejanas dunas estrelladas del desierto Tártaro.

Avance de

La niña que se tragó una nube tan grande como la torre Eiffel

La nueva novela de
Romain Puértolas

PRIMERA PARTE

Una cartera y su particular concepto
de la mayonesa y de la vida

La primera palabra que pronunció el viejo peluquero cuando entré en su salón fue una orden breve y tajante digna de un oficial nazi. O de un viejo peluquero.

—¡Siéntese!

Dócil, me sometí. Antes de que él me sometiera con sus tijeras. Enseguida comenzó su danza alrededor de mí, ni siquiera esperó a saber con qué corte de pelo deseaba salir de su peluquería, o con qué corte de pelo justamente no deseaba salir.

¿Habría lidiado antes con el rebelde pelo afro de un mulato? Ahora ya no tenía más remedio.

—¿Le gustaría escuchar una historia increíble? —le pregunté para romper el hielo e instaurar un clima cordial.

—Lo que quiera con tal de que deje de mover la cabeza. Acabaré cortándole una oreja.

Consideré que ese «lo que quiera» era un gran paso, una invitación al diálogo, a la paz social y a la armonía entre seres humanos y, al mismo tiempo, intenté olvidar lo más rápidamente posible, en virtud de esos mismos acuerdos de fraternidad, la amenaza de amputación de mi órgano auditivo.

—Bien, veamos. Un día, mi cartero, que es una mujer, una mujer encantadora, dicho sea de paso, se presentó en la torre de control donde trabajo y me dijo: «Señor Mengano (es mi apellido), necesitaría que me diese permiso para despegar. Sé que esta petición puede parecerle insólita pero es así. No se haga preguntas. Yo dejé de hacérmelas cuando todo comenzó. Solo deme permiso para despegar de su aeropuerto, se lo ruego». La verdad es que a mí su solicitud no me parecía tan insólita. A veces venían a verme particulares que se habían arruinado en las escuelas de aviación cercanas y que querían seguir haciendo horas de vuelo por su cuenta. Lo que me sorprendía, sin embargo, era que ella nunca antes me había hablado de su pasión por la aeronáutica. Bueno, nunca habíamos tenido demasiadas oportunidades de conversar, ni siquiera de cruzarnos (yo alterno turnos de día y de noche), pero bueno. Normalmente se limitaba a llevarme el correo a casa en su viejo Cuatro Latas amarillo. Nunca había ido a verme al trabajo. Lástima, porque era un bombón. «En condiciones normales, para este tipo de petición la mandaría al despacho de planes de vuelo. El problema es que hoy el tráfico aéreo es un caos por culpa de esa maldita nube de cenizas y no vamos a poder atender a los vuelos privados. Lo siento.» Viendo su cara de desconcierto (tenía una cara de desconcierto muy bonita y eso sembró el desconcierto en mi corazón), fingí que su caso me interesaba: «¿Qué pilota? ¿Un Cessna? ¿Un Piper?». Dudó mucho. Se notaba que estaba molesta, que mi pregunta la incomodaba. «Eso es justamente lo insólito de mi petición. No piloto ningún avión. Vuelo sola.» «Sí, eso lo había entendido, vuela sin instructor.» «No, no, sola, quiero decir sin aparato, así.» Levantó los brazos por encima de la cabeza y ejecutó un giro sobre sí misma, como una bailarina de ballet. Por cierto, ¿le he dicho que iba en bañador?

—Olvidó ese pequeño detalle —respondió el peluquero, ahora concentrado en pelearse con mis rizos—. Sabía que los controladores aéreos llevaban una buena vida, pero ¡esto es el colmo!

El viejo tenía razón. Los controladores de Orly no podíamos quejarnos. Pero eso no impedía que de vez en cuando hiciéramos una pequeña huelga sorpresa. Solo para que la gente no nos olvidara durante las fiestas.

—Bueno, esto… Llevaba un biquini de flores —proseguí—. Una mujer muy guapa. «No pretendo entorpecer su tráfico, señor controlador, solo quiero que me considere un avión más. No volaré tan alto como para que la nube de cenizas me afecte. Si hay que pagar las tasas de aeropuerto, no hay problema, tenga.» Me tendió un billete de cincuenta euros que sacó de no sé dónde. En cualquier caso, no de su gran cartera de cuero, puesto que no la llevaba. Yo no daba crédito. No entendía nada de lo que me contaba, pero parecía muy decidida. ¿Acaso me estaba diciendo que realmente podía volar? ¿Como Superman o Mary Poppins? Durante unos segundos, pensé que a mi cartero, bueno, a mi cartera, se le había ido la olla.

—Resumiendo, un buen día su cartero, que es una cartera, irrumpe en su torre de control en bañador aunque la playa más cercana está a cientos de kilómetros, y le pide permiso para despegar de su aeropuerto batiendo los brazos como una gallina.

—Veo que está atento.

—Cuando pienso que el mío solo me trae facturas… —suspiró el hombre limpiando el peine en su delantal antes de volver a meterlo en mi cabello. En la otra mano, las tijeras tintineaban sin parar, como las garras de un perro sobre el parquet, o como las de un hámster en una rueda.

Todo en su actitud indicaba que no creía ni una palabra de lo que le estaba contando. No se lo podía reprochar.

—Bueno, ¿y qué hizo? —me preguntó, sin duda para ver hasta dónde podía llegar mi imaginación delirante.

—¿Qué hubiera hecho en mi lugar?

—No lo sé, no trabajo en la aviación. Y además no estoy acostumbrado a ver entrar chicas guapas medio en pelotas en mi peluquería.

—Estaba confuso —añadí ignorando las bromas del viejo refunfuñón.

—¡Pensaba que nada podía desconcertar a un controlador aéreo! —soltó, irónico—. ¿No se les paga para eso?

—Esa imagen está un poco sobredimensionada. ¡No somos máquinas! Como iba diciendo, ella me miró con sus ojos de muñeca de porcelana y me dijo: «Me llamo Providence, Providence Dupois». Esperó a que sus palabras hicieran efecto en mí. Parecía estar quemando su último cartucho. Creo que me dijo su nombre para que dejara de considerarla una simple cartera. Estaba tan desorientado que durante unos segundos incluso pensé que era… bueno, ya sabe, una chica con la que había tenido una aventura y a la que no había reconocido. Tuve éxito en mis años jóvenes… Pero no había ninguna duda, incluso sin la gorra y sin el pequeño chaleco hortera azul marino, esa chica supercañón era mi cartera.

Hacía unos segundos que el peluquero había retirado el peine y sus tijeras de mi pelo encrespado y los mantenía suspendidos en el aire.

—¿Ha dicho Providence Dupois? ¿LA Providence Dupois? —exclamó dejando los instrumentos en la mesa de cristal que había delante de mí, como si de pronto le hubiera acometido un profundo cansancio. Era la primera vez que daba alguna señal de interés desde que habíamos empezado a hablar, bueno, desde que yo había empezado este monólogo—. ¿Se refiere a la mujer de la que hablaron todos los periódicos? ¿La que voló?

—La misma —respondí, sorprendido de que la conociera—. Pero, claro, en aquel momento para mí solo era mi cartera. La bomba sexual del Cuatro Latas amarillo.

El peluquero se desplomó en el sillón vacío que había a mi lado. Parecía como si una estación espacial acabara de caer sobre sus hombros.

—Ese día me trae recuerdos bastante duros —dijo con la mirada perdida en algún lugar entre las losetas blancas y negras de la peluquería—. Mi hermano murió en un accidente de avión. Precisamente el día en que esa famosa Providence Dupois se dio a conocer por ese extraño suceso. Paul, mi hermano mayor. Se iba unos días de vacaciones al sol. Cómo iba él a imaginar que serían unas vacaciones tan largas… Ciento sesenta y dos pasajeros. Ningún superviviente. Yo pensaba que Dios cogía el avión como todo el mundo. Debió de llegar tarde a facturación ese día.

El hombre levantó la cabeza. Una chispa de esperanza apareció en sus ojos.

—Bueno, hablemos de cosas más alegres. Dígame, ¿volaba de verdad? Quiero decir, ¿used vio volar a la tal Providence Dupois? Lo leí en la prensa pero dicen tantas tonterías... Me gustaría saber la verdad y nada más que la verdad.

—Los medios no estaban allí. Se hicieron con la noticia después y le dieron mucho bombo, alimentando los rumores más disparatados. ¡Incluso llegué a leer que Providence había volado en su Renault amarillo hasta Marruecos y que chocó contra una nube! Lo que no está muy lejos de la verdad, claro, pero no es exacto. Yo le voy a contar la verdad sobre lo que pasó ese día en Orly. La verdadera historia. Y, créame, eso no es más que la punta del iceberg. Cómo llegó allí la cartera y lo que ocurrió después quizá sea aún más impresionante y ha puesto en entredicho muchas cosas en mi mente cartesiana. ¿Le interesaría escucharlo?

El peluquero señaló el salón vacío con la mano.

—Como ve, esto está abarrotado —dijo con ironía—, pero podría hacer una pequeña pausa. ¡Venga, será diferente de las eternas historias de bodas o bautizos que me cuentan las clientas cada vez que vienen a que les carde el moño! —añadió el viejo con un aire de falsa indiferencia cuando en realidad se moría de ganas de saberlo todo.

Y yo, de contarlo todo...